Suchen wir nicht alle nach unserem verlorenen Paradies? Was wäre, wenn wir dorthin zurückgehen könnten? ›Eva‹, der erste Band der Romantrilogie ›Kinder des Paradieses‹, eine warme, phantasievolle Geschichte von der Suche Evas nach ihren eigenen Wurzeln, war Marianne Fredrikssons erstes Buch und machte die Autorin in Schweden auf Anhieb bekannt.
Eva ist erfüllt von Trauer, Zorn und Sorge. Gerade hat ihr ältester Sohn Kain den jüngeren, Abel, erschlagen. Adam spricht von Schuld und klagt sich selbst an, weil sein Gott ihn verlassen habe. Doch Eva möchte begreifen, wie das alles geschehen konnte. Sie beschließt, die Spuren ihres eigenen Lebens zurückzuverfolgen, und macht sich auf in das Land ihrer Kindheit, ins Paradies. Nach einer langen, mühsamen Wanderung gelangt sie in die Wälder jenseits des Flusses. Dort trifft sie auf das Volk ohne Worte, die wilde Horde, Menschen, die wie die Kinder ganz im Hier und Jetzt leben und weder Gut noch Böse kennen. Und sie durchlebt noch einmal die Zeit, als sie selbst dazugehörte …
Mit großer Sensibilität, aber ganz unpathetisch eröffnet Marianne Fredriksson in ihrem ersten Roman ein neues Verständnis von Schöpfungsgeschichte, ›Sündenfall‹ und Erkenntnis aus weiblicher Sicht.

Marianne Fredriksson wurde 1927 in Göteborg geboren. Sie ist verheiratet und hat zwei Töchter. Als Journalistin arbeitete sie lange für bekannte schwedische Zeitungen und Zeitschriften. 1980 veröffentlichte sie den Roman ›Eva‹, den ersten Band einer Trilogie über die ›Kinder des Paradieses‹, dem die Bände ›Abels Bruder‹ und ›Norea‹ folgten. Seitdem hat sie viele weitere Bücher geschrieben, die alle zu Bestsellern wurden. Zuletzt erschien im Krüger Verlag ihr Roman ›Sofia und Anders‹.
Lieferbare Titel im Fischer Taschenbuch Verlag: ›Hannas Töchter‹ (Bd. 14486: Großdruck; Bd. 15151), ›Simon‹ (Bd. 14865), ›Marcus und Eneides‹ (Bd. 14045: Großdruck; Bd. 15152), ›Maria Magdalena‹ (Bd. 14958), ›Eva‹ (Bd. 14041), ›Abels Bruder‹ (Bd. 14042), ›Noreas Geschichte‹ (Bd. 14043).

Unsere Adresse im Internet: www.fischer-tb.de

Marianne Fredriksson

EVA

Roman

Aus dem Schwedischen
von Walburg Wohlleben

Fischer Taschenbuch Verlag

4. Auflage: Dezember 2001

Deutsche Erstausgabe
veröffentlicht im Fischer Taschenbuch Verlag GmbH,
Frankfurt am Main, Mai 2001

Published by agreement with Bengt Nordin Agency, Sweden
Die schwedische Originalausgabe erschien 1980
unter dem Titel ›Evas bok‹
im Verlag Walström & Widstrand, Stockholm

Das Vorwort von Marianne Fredriksson wurde der Trilogie
›Paradisets barn. Evas bok. Kains bok. Noreas saga‹ entnommen

Satz: Pinkuin Satz und Datentechnik, Berlin
Druck und Bindung: Clausen & Bosse, Leck
Printed in Germany
ISBN 3-596-14041-2

Vorwort

Manche modernen Historiker betrachten die Menschheitsgeschichte aus einer anderen als der üblichen Perspektive. Sie gehen bei der Beschreibung der geschichtlichen Epochen von der Entwicklung der menschlichen Psyche aus. Zu den bekanntesten unter ihnen gehört der Schweizer Jean Gebser. Eine Zusammenfassung seiner Theorie findet sich in Ken Wilbers ›Halbzeit der Evolution‹.

Aus Gebsers Sicht hat die Menschheit vier große Phasen durchschritten: das archaische, das magische, das mythische und das mental-rationale Zeitalter.

Der archaische Mensch empfand sich als eins mit der Natur, mit allem, was er sah und erlebte. Er entwickelte kein Ich und hatte daher keinen Gegenpol.

Gegen Ende dieser Epoche begann ein schattenhaftes Ich Form anzunehmen, eine Trennung fand statt (der Sündenfall?). Der Mensch wurde sich seines Körpers bewusst, seiner Psyche und des Todes. Angst wurde geboren, Strategien zum Schutz des Lebens bildeten sich heraus. Die dabei angewandte Verteidigungshaltung war hauptsächlich magischer Natur.

Gebser und andere sind der Ansicht, dass der Mensch jener Epoche eine Art Fähigkeit zur Kommunikation mittels der Parapsychologie besaß. Er stand in telepathischer Verbindung mit den Geistern der Bäume und Flüsse, er konnte ›um die Ecke sehen‹, manchmal auch in die Zukunft.

Im dritten großen Zeitalter begriff der Mensch die Welt und sich selbst durch die Mythen. Im Laufe der mythischen Epoche trat die Menschheit in das Licht der Geschichte, und an den großen Mythen, wie denen der Bibel, können wir ablesen, wie Jahrtausende altes Wissen über all das, was geschehen ist, uminterpretiert wurde. Während der mythischen Epoche besaß der Mensch auch die Fähigkeit, sein eigenes Inneres zu verstehen, denn Mythen und Symbole sprechen den ganzheitlichen Menschen an und nicht nur den Intellekt, der später dominieren sollte.

Schließlich siegte die Ratio, und die Menschheit erreichte das mentale Zeitalter, in dem wir jetzt leben. Es begann mit den Griechen, mit der Geburt des logischen Denkens und der wachsenden Kenntnis, wie man mit Vernunft und Verstand das Leben schützen und die Angst im Zaum halten kann.

Gebser ist der Ansicht, jeder Epochenwechsel sei mit einem Verlust verbunden gewesen. Im Laufe der Entwicklung verloren wir zum Beispiel unsere magischen Fähigkeiten, die Welt intuitiv zu verstehen, und allmählich kam auch unser mythisches Empfinden für Symbole und Ganzheit abhanden.

Ich wusste noch nichts von Gebser, als ich die Trilogie über die erste Familie schrieb. In meiner Legende tritt sie auch gar nicht als erste Familie auf, sondern bei mir sind es Menschen im Grenzland zwischen unterschiedlichen Kulturen. Aber ich war getrieben von einer ungeheuren Neugierde, die kindliche Entwicklung betreffend, neugierig zu ergründen, was geschieht, wenn das Kind von einer Entwicklungsstufe zur nächsten voranschreitet – was es dabei gewinnt und was es verliert.

Deshalb wurde die Begegnung mit dieser anderen historischen Sichtweise so interessant. Es ist ja offensichtlich, dass jedes Kind mit der Geburt die lange Geschichte der Menschheit auf Erden wiederholt. Jeder Einzelne von uns durchlief einmal eine archaische Phase, wo er nicht zwischen sich und der Brust, der Mutter und der Welt unterschied. Dann wechselten wir in die magische Phase und verteidigten unser neu entdecktes Ich (»Kann ich selbst.«) mit den magischen Methoden (»Dummer Stuhl!«). Noch später befanden wir uns in der Welt der Mythen, wo wir lernten, mit Hilfe des Märchens uns selbst und die Welt zu verstehen, um schließlich auf der Schulbank zu landen und uns im Denken von Ursache und Wirkung zu üben, logisch und linear. Für die meisten von uns bedeutete dies, die Fähigkeit des unmittelbaren Erlebens, die magische Kognition und das Ganzheitsgefühl zu verlieren, das die Mythen uns schenkten.

Vor noch nicht allzu langer Zeit war viel die Rede vom Paradies der Kindheit. Jetzt wissen wir es besser, psychologische Forschungen haben klar gezeigt, wie schmerzhaft und voller schicksalsschwerer Missverständnisse die wichtigen Kindheitsjahre sind. Von Freud bis zu Alice Miller hat die Offenlegung der Kindheit gezeigt, dass frühe traumatische Erlebnisse lebenslange psychische Schäden verursachen können. Das sind wesentliche Erkenntnisse, die vielleicht auf lange Sicht Respekt vor Kindern fördern und einen gesünderen Menschen schaffen können.

Trotzdem ist der Mythos von der glücklichen Kindheit schwer auszurotten, denn in jedem von uns steckt die Erinnerung an einen ozeanischen Zustand jenseits der Zeit, in einer Welt, die gut war und selbstverständlich. »Als Unschuld und Frieden unseren Spuren folgten.« Dies ist eine nachträgliche Interpretation, es gibt keine Forschungen über die glückliche Kindheit. Die Wissenschaft ist am Glück ebenso wenig interessiert wie beispielsweise an der Gesundheit.

Meine Romantrilogie über Eva, Kain und Norea spielt in einer Welt, wo sich das Archaische mit dem Magischen verbindet, das Mythische mit dem Logischen, wo die unterschiedlichen Weltanschauungen oder Entwicklungsstadien Seite an Seite leben dürfen. Edens archaische Menschen jenseits von Gut und Böse, ohne einschränkendes Ich und ohne Zeitgefühl, werden Objekte für die Mission von Magiern und Schamanen aus dem mythischen Königreich Nod. Eva selbst bewegt sich zwischen den unterschiedlichen Welten wie eine Repräsentantin der modernen, logischen, vernünftigen und nach Erkenntnissen suchenden Menschheit. Auch Kain ist eine moderne Figur, der sich schuldig fühlende Mensch unserer Zeit ohne Zugang zur Versöhnung. Erst Norea – Evas und Adams jüngste Tochter, wird zur Grenzüberschreitenden, die ihren festen Platz in den unterschiedlichen Welten beibehält und sich deren Erkenntnisse zunutze macht.

EVA

Kapitel 1

Sie ging nach Osten, den Felsgrat entlang, den die Natur in den Südhang des Berges geschnitten hatte. Hier war es nicht mehr so steil, dennoch strengte sie sich bis zum Äußersten an und wusste, ohne dass sie nachzudenken brauchte, die Qualen des Körpers würden sie von den Gedanken befreien.

Es war mitten am Tag. Die Sonne stand hoch, und unaufhörlich musste sie den Schweiß von den Augen wischen, um überhaupt sehen zu können, wohin sie ihre Füße setzte. Klettern, Fuß fassen, die Hitze – es war mehr als genug für den Augenblick.

Bald würde sie den Gipfel erreichen, ausruhen, sich ganz der Aussicht über das Tal, den Fluss und die flimmernde Waldlandschaft am Horizont im Osten hingeben. Von hier aus hatte sie noch zwei Tagesmärsche vor sich.

Sie war auf dem Weg zurück in eine Welt, die sie vor langer Zeit verlassen hatte. Dort hoffte sie, Antwort auf ihre Fragen zu finden.

Dann wollte sie zu dem Mann zurückkehren, der bei der Höhlenbehausung auf sie wartete. Und zu dem Jungen mit dem brennenden Blick.

Der Wind wurde frischer, endlich kam sie dem Gipfel näher. Noch erlaubte sie sich nicht, stehen zu bleiben und den Blick schweifen zu lassen, auszuatmen und den Ledersack mit dem Wasser hervorzuholen, um zu trinken, obwohl Mund und Rachen beinahe ausgetrocknet waren. Vielleicht dachte sie, das Wasser in dem Sack sei warm und eklig geworden, vielleicht setzte sie ihre

Hoffnung auf das noch immer eiskalte, wirbelnde Wasser des herabbrausenden Baches, obwohl es bereits weit im Sommer war. Ach, wie deutlich erinnerte sie sich an diesen Wasserfall, unter dem der Mann und sie herumgesprungen waren, nackt, voller Lust; Haut, Haare, Mund und Bauch hatten dieses glitzernde, sprudelnde und lebensspendende Wasser in sich aufgenommen. Es war in jenem Frühjahr gewesen, als alles neu war, wo alles einen Namen bekommen sollte. Nun war es Spätsommer.

Unwillkürlich richtete sie ihr Ohr auf das Brausen des Wasserfalls, doch sie empfing andere Signale. In den Farnsträuchern an der Felswand raschelte es leise, ein trockenes, heimliches Rascheln.

Jetzt war ihr Körper gespannt, wachsam, bereit zu handeln, da – schwach zeichnete sich die ringelnde Gestalt des Todfeindes in dem Grün ab. Der Wanderstock wurde eins mit ihrem Arm, diesmal sollte der Feind nicht entwischen.

Er wartete.

Sie wartete.

Genügend Geduld besaß sie, selten verließ sie die Konzentration. Außerdem brauchte sie Zeit zum Nachdenken. Diesmal sah es böse für ihn aus. Die Farnbüsche bedeckten den Felsen beinahe einen Meter im Umkreis, weiter oberhalb stieg die gelbe Felswand steil empor, bot keinen Schatten. Dort würde es ein Leichtes für ihren Stock sein. Aber er, der Feind, könnte zwischen das Geröll dort vorn schlüpfen, ja, das war seine einzige Möglichkeit, denn darum herum erstreckte sich der Weg leer und öde in der Sonnenhitze.

Sie wartete, sie hatte viel Geduld. Aber die herrliche Wut hatte sich immer nur kurz bei ihr gehalten. Sobald die Gedanken sie bedrängten, atmete sie tief ein, hielt die Luft an und versuchte die weiße Raserei damit am Leben zu erhalten, musste jedoch notgedrungen nachgeben und den Atem loslassen. Und schon kamen die Gedanken zurück und löschten die Wut aus, so, wie sie es bereits im Voraus gewusst hatte.

Du Ärmste, sagten die Gedanken zur Schlange, was hast du mir damals eigentlich angetan? Dein Fehler soll es gewesen sein? Das ist doch nur ein Märchen, das der Mann erfunden hat.

Und was heißt schon Fehler, wurde überhaupt ein Fehler begangen?

Eigentlich müsste ich erst die Antwort auf diese Frage wissen, bevor ich dich töten kann.

Die Schlange, flimmernd in der Mittagshitze, bemerkte ihr Zögern und ergriff die Gelegenheit, schlüpfte zwischen die Steine, genau, wie sie es vermutet hatte.

Dabei war sie gar nicht sicher, ob sie sie getroffen hätte.

Die Wut hatte ihr Kraft gegeben, das spürte sie, als sie die Wanderung zum Gipfel wieder aufnahm. Es war nicht mehr weit, und plötzlich hörte sie den Wasserfall. Ihr Herz hüpfte vor Freude in der Brust. Die letzten dreißig Meter lief sie beinahe, stand auf einmal inmitten der Gischt und ließ sich langsam abkühlen, vom Staub gesäubert jetzt und triefend nass.

Sie löschte ihren Durst, löste das Haar und machte es nass. Langsam zog sie die nassen Kleider aus, wusch sie so gut es ging und hängte sie über einen Felsen. Dann stand sie nackt in der Sonne und ließ ihren Blick endlich über die Welt schweifen.

Alles war in diesem Moment vergessen, sie nahm nur noch die jahrelange Sehnsucht nach eben diesem Jetzt wahr.

Tatsächlich war alles noch so, wie sie es in Erinnerung hatte. In schwindelnder Tiefe grub sich dort unten der Fluss sein schimmerndes Bett durch die Ebene, in weichen Bögen floß er weiter. Nach Nordosten zogen sich die Berge zu immer steileren Höhen hinauf. Der Felsgrat folgte ihnen in diese Richtung, und sie wusste, ohne dort gewesen zu sein, dass er zu den senkrechten Toren des Berges führte, wo der Anklopfende eingelassen wurde, um nie wieder herauszufinden. Irgendwo dort bildete der Fluss schwarze Seen und unbändige Stromschnellen.

Unten im Tal zogen die grasenden Tiere dahin, klein wie Fliegen sahen sie von ihrem Aussichtspunkt hier oben aus. Das Weideland war weniger grün als sie es in Erinnerung hatte, ja, natürlich, es lag an der Trockenheit des Spätsommers. Das gleißende Sonnenlicht schuf flimmernde Luftspiegelungen auf dem Fluss am Horizont, wo man die riesigen Laubwälder erahnen konnte.

Nur der konnte sie erahnen, der wusste, dass es sie gab, dachte sie. Sie wusste um sie, denn sie war dort geboren, aufgewachsen unter den großen Laubkronen voller schimmernder Früchte.

Die Erinnerungen zogen sie mit sich fort. Dort lag das Land der Kindheit, in Reichweite jetzt. Es waren im Übrigen keine Erinnerungen, vielmehr wortloses Gaukelspiel der Gefühle.

Warum erinnerte sie sich an nichts? Warum hatte sie keine Bilder der Eltern in sich, der Freunde, von Geschehnissen, Orten, Begegnungen, Enttäuschungen, Freuden? Vielleicht, weil sie nie einen Namen bekommen hatten?, überlegte sie. Gab es keine Erinnerungen, wenn es keine Worte gab? Was sonst gab es dann, außerhalb der Worte?

Etwas war doch da.

Nicht außerhalb der Worte, hinter ihnen, jenseits davon.

Sie war auf dem Weg zurück, um es herauszufinden.

Hier auf dem Hochplateau gab es wirkliche Erinnerungen – der Mann und sie in lustvollem Spiel unter dem Wasserfall. Sie ging zur Grasböschung hinter der Kaskade, von hier war die Aussicht weniger weit, aber das Gras so weich, wie sie es in Erinnerung hatte. Hier war er hinter ihr hergelaufen, hatte sie sich fallen lassen, er über ihr, hier hatte sie mit aufgestützten Händen gekniet und gespürt, wie sein Glied in sie eindrang, explodierend vor Kraft, hatte es sie mit Lust erfüllt, mehr, mehr.

Hier war es auch, wo sie, getrieben von dem Wunsch, sein Gesicht zu sehen, ihn dazu brachte, das Spiel zu verändern. In der Dämmerung waren sie sich Auge in Auge begegnet, und die Süße in den Lenden hatte sich über den ganzen Körper ausgebreitet, über Augen, Zunge, Mund, Haut, Haare – alles hatte teil daran.

»Du«, hatte er gesagt, und endlich konnte die Stimme das Wort formen, das seine Augen so lange gerufen hatten.

»Du«, hatte er gesagt und ihre Brüste gestreichelt, ihren Hals, ihren Schoß.

Hier hatten sie und er einander angesehen.

Du. Ich.

Er hatte so schöne Augen, dachte sie. Braun, voller Schalk und mit einem Glanz darin, neugierig, forschend und etwas ängstlich.

Er hat so schöne Augen, verbesserte sie sich. Braun sind sie, und der Blick ist noch immer warm. Aber auch ängstlich und jetzt sehr traurig.

»Du wirst doch wiederkommen?«, hatte er gefragt. »Du musst gut auf dich aufpassen. Sie haben uns vertrieben, erinnerst du dich?«

Ja, die Erinnerung war in dem Gefühl aufbewahrt. Sie erwartete kein Willkommen und versprach, wachsam zu sein.

Wer sollte sie dort, wohin sie nun ging, eigentlich willkommen heißen? Wenn sie sich an kein Gesicht erinnerte, an keinen Namen, sie keine Stimme wieder erkannte?

»Vertrau mir«, hatte sie gesagt. »Ich komme zurecht, ich komme zurück. Und dann werden wir es genauer wissen.«

Sie hatte sich umgedreht und an der ersten Biegung zurückgewinkt, er hatte dort gestanden und ihr nachgesehen. Müde sah er aus, einsam, bange.

Sie hatte die Hand gehoben, sie still gehalten, die Handfläche ihm zugewandt. Vertrau mir!

Der Junge war draußen auf dem Feld bei den Tieren, ihm hatte sie nicht Lebwohl gesagt.

»Lass jetzt den Jungen«, sagte sie laut zu sich. »Fort mit ihm aus den Gedanken. Zerstöre nicht diese Stunde, wo du endlich bei dem Wasserfall und der Wiese angekommen bist, wovon du so lange geträumt hast.«

Die Sonne sank jetzt im Westen, sie fror und genoss es auch ein wenig. Ihr Gewand war im Wind getrocknet und duftete sauber, als sie es anzog.

Dann öffnete sie den Beutel mit dem Essen, lachte beinahe über den Lederschlauch mit dem warmem Wasser, goss es über die rosa Malven in einer Felsspalte und füllte den Schlauch mit frischem, eiskaltem Wasser. Das Schafsfleisch war salzig, das Brot bereits trocken, sie musste also stets genügend Wasser bei sich haben. Die Äpfel waren klein, rot und voller herber, bitterer Süße, die sie seit jeher so mochte.

Ihr war klar, sie musste sich entscheiden, ob sie ein Nachtlager aufschlagen oder ihre Wanderung fortsetzen sollte, aber sie schob auch diesen Gedanken beiseite.

Später, sagte sie, später, wenn ich gegessen habe.

Nach dem Essen streckte sie sich aus, lag auf dem Felsvorsprung am Wasserfall und ließ sich wieder von der Sonne wärmen. Sie döste eine Weile – aber mit der Schläfrigkeit kamen auch die Bilder. Die Augen des Jungen, des anderen Jungen, der ihn am Hals packte …

Nein.

Sie setzte sich auf, nun kam das zurück, woran zu denken sie sich verboten hatte. Es konnte am Apfel liegen, dessen bitteren Geschmack sie noch auf der Zunge hatte. Oder am Rosmarin, der zu ihren Füßen duftete; Rosmarin stärkt die Erinnerung …

Sie zwang die Augen zum Horizont, die Gedanken zum Tageslicht hin, zum Jetzt. Es glückte ihr. Wenn sie die Nacht auf dem Felsabsatz bliebe, würde sie ruhig schlafen können, das Risiko nachts umherstreifender Tiere wäre hier oben gering, Sicht nach allen Seiten hatte sie.

Es würde kalt werden, doch sie hatte eine dicke, doppelt gewebte Decke im Ranzen, die Kälte würde erträglich sein.

Aber sie würde wichtige Wanderstunden verlieren. Die Sonne stand noch am Himmel, und mit Sicherheit könnte sie vor Einbruch der Dunkelheit den Berg hinuntersteigen. Unten in der Ebene würde es jedoch schwierig werden, einen Unterschlupf für die Nacht und Schutz vor dem Wind zu finden, Wildkatzen und Schlangen gab es dort sicherlich auch. Bei Tageslicht fürchtete sie sie nicht, nur im Dunkeln waren sie ihr überlegen.

Ihre Nachtsicht war gut, ihre Nase fein und sicher, aber nicht so wie die der Raubtiere. Gegen sie gab es nur eine Waffe – ihre klaren Gedanken und schnelle Entschlusskraft. Und sie wusste aus Erfahrung, dass Raubtiere nachts jagten.

Sie blickte wieder auf den Fluss, berechnete die Entfernung zwischen den Bauminseln in der Felsenlandschaft. Die stummen Bäume waren ihre Verbündeten und würden ihr Schutz geben, das wusste sie. Aber die Abstände zwischen den Baumgruppen waren groß, manchmal bis zu einer Stunde zu wandern.

Nein, sie würde diese Nacht auf dem Felsvorsprung schlafen, bewacht von guten Erinnerungen, gewiegt vom Wind, in den Schlaf gesungen vom sanften Geräusch des herabrauschenden Baches.

Das Gras hinter dem Wasserfall war weich und einladend, dort hatten sie einst vor langer Zeit in ihren Liebesnächten geschlafen. Aber sie waren zu zweit gewesen, jetzt war sie allein und dachte an die Begegnung in den Farnbüschen am Steilhang. Sie entschied sich für den Felsvorsprung, breitete ihre Decke aus und begann, kleine Steine und Geröll um sie zu häufen.

Keine Schlange würde durch den Ringwall schlüpfen, ohne dass die Steine kullerten und sie weckten.

Der Friede des Platzes, die Müdigkeit, das Rauschen des Wassers – alles verhalf ihr schnell über die Grenze zum Schlaf. Die Dunkelheit nahm sie zu sich und löschte sämtliche Gedanken aus.

Sie schlief traumlos.

Kapitel 2

Der Abstieg war beschwerlicher, als sie angenommen, der Berg steiler als sie ihn in Erinnerung hatte. Der Ranzen scheuerte am Rücken, hin und wieder musste sie springen, manchmal sogar auf allen vieren rückwärts hinunterklettern. Unerwartet wurde ihre ganze Aufmerksamkeit beansprucht.

Ein Dornenbusch riss ihr den Handrücken auf. Sie spürte keinen Schmerz, leckte nur einmal über die Wunde und setzte ihren Weg fort. Nach einiger Zeit aber merkte sie, dass sie ziemlich stark blutete, sie musste stehen bleiben, sich nach heilenden Kräutern umsehen und einen Verband über die Wunde legen.

Da stahlen sich die ersten Sonnenstrahlen um den Südhang des Berges, bisher hatte sie die Sonne nur als Licht hinter dem Berg im Osten erahnen können. Früh schon war sie aufgewacht, war entschlossen und eilig aufgebrochen, vom Schlaf und dem Frieden gestärkt, den ihr der Platz auf dem Felsvorsprung geschenkt hatte. Sie wollte sich beeilen, musste sie doch die versäumten Wanderstunden vom Vortag aufholen.

Breitwegerich gab es hier reichlich, sie legte ihn auf die Wunde und umwickelte ihn geschickt mit langen, festen Grashalmen. Dann ließ sie ihren Blick über das Gelände gehen. In einiger Entfernung bemerkte sie einen Wildwechsel, es musste der sein, den sie beide früher schon einmal gegangen waren, und schnell kletterte sie hinüber. Nun kam sie leichter voran.

Auf halbem Weg nach unten zog sich erneut ein Felsabsatz am Berg entlang, dann folgten der Hain, die Graslandschaft, die

Quelle – ja, jetzt erkannte sie alles wieder. Hier war es, wo sie scheu und zögernd über die Worte gesprochen hatten.

Wie die Worte zu ihnen gekommen waren.

Mit einer Blume hat es angefangen, fiel ihr ein. In jenem Frühjahr hatten unzählige kleine, weiße Blumen den Boden bedeckt, und ein feiner Duft von zartem Grün, von Erde und Wasser hatte sich über die Landschaft gelegt. Obwohl sie vorher Tausende von ihnen gesehen haben musste, konnte sie sich an keine einzige Blume erinnern. Ob es an der Vielfalt lag, dass sie – und er – nun auf sie aufmerksam wurden?

»Wunderschöne Blumen«, hatte sie gesagt und dann etwas vollkommen Neues getan: Aus reiner Lust pflückte sie einen Strauß, nur um ihn anzuschauen und an ihm zu riechen.

»Woher weißt du, dass es eine Blume ist?«, hatte er gefragt und ihr zugelacht.

Sie weiß nicht mehr, was sie antwortete, nur, dass sich hier ihr erstes Gespräch aus Sätzen entwickelte, an die sich weitere Sätze, Fragen und Antworten reihten.

Es hatte großen Spaß gemacht.

Aber damals hatte sie kaum Worte genug gehabt, um auf seine erste Frage sofort zu antworten, woher sie wusste, dass eine Blume eine Blume sei. Wusste sie damals bereits die Antwort?

Hätte sie denn heute genug Worte, um die Vertrautheit zwischen ihr und all dem, was um sie herum wuchs, zu erklären? Dass eine Freundschaft zwischen ihr und den Pflanzen bestand, die ihr deren Geheimnisse, Namen und Eigenschaften preisgaben? Dass sie dabei von ihnen erfuhr, welche Wurzeln gut und nahrhaft waren, welche Baumknospen stärkend, welche Samen gegen Schmerzen lindernd wirkten oder Krankheiten heilten?

Die Worte rührten von dieser inneren Verbundenheit her, denn einem Vertrauten gibt man nun mal seinen Namen preis. Und mit den Namen wuchs das Wissen, die Kenntnis zu unterscheiden und zu sehen. So viele Kräuter hatte sie kennen gelernt, seitdem sie sich ihrer Fähigkeit als Seherin bewusst geworden war!

So ist es nun einmal mit den Worten, dachte sie, sie bereichern das Leben. Vor den Worten gab es nur Gewächse, nun gibt es Farben, Arten, Unterschiede, Eigenschaften, das Wissen, wie man sie bestimmte, einordnete und anwendete.

Worte geben auch Sicherheit, hatte sie viele Male gedacht. Anstatt vom Schrecken verfolgt zu werden, wenn es am Himmel blitzte, konnte sie jetzt sagen: Es ist ein Gewitter und es geht vorbei, wie im vergangenen Sommer. Ja, sie konnte voraussehen, dass auf diese Hitze ein Gewitter folgen würde, sie also Schutz suchen mussten.

Der Mann sah es auf ganz andere Weise, obwohl ihre Art zu denken sicherlich von Vorteil für ihn war. Nicht der Erde fühlte sich der Mann verbunden, nicht dem Sichtbaren, Greifbaren. Seine Verbundenheit bezog sich vielmehr auf den Himmel und auf eine ihm innewohnende Kraft, die er Gott nannte. Sie hatte es nie verstanden, hatte sich auch nicht besonders dafür interessiert. Hatte keine Zeit gehabt, gestand sie sich ein. Sie musste sich ja um die Kinder kümmern, ums Überleben, um Kleidung und …

In letzter Zeit war ihr zuweilen in den Sinn gekommen, dass das mit Gott und dem Himmel vielleicht ebenso notwendig war. Hier auf der Lichtung überlegte sie noch einmal, dass alles, was sie versprochen, vorausgesehen und geplant hatte, nicht genug gewesen war.

Der Junge ist gestorben …

Der Junge ist getötet worden …

Zurückgeblieben ist der andere, in dessen Augen ein Feuer brannte, das sie nie hatte deuten können, er, der auch ihr Sohn war, aber fremd bereits, als er geboren wurde.

Hierbei spürte sie einen Schmerz, der noch stärker war als die

Trauer um den Toten. Sie wagte nicht, bei dem Gedanken an ihn zu verweilen, ihn zu ergründen, nicht einmal versuchsweise zu verstehen. Nicht jetzt. Später einmal, wenn sie über sich selbst Klarheit gefunden hätte.

Sie glaubte, mit dem Schmerz sei es wie mit dem Gewitter, wenn du erst einmal einen Namen für ihn gefunden hast, ist er besiegt.

Auch der Mann hatte sich mit dem Jungen und seinen harten Augen schwer getan, verteidigte sie sich. Sein Gott hatte ihm dabei nicht geholfen. Aber der Mann hatte es versucht, hatte mehr begriffen, mehr gesehen. Sie dachte an seine scheue Freundlichkeit, seinen Versuch, das Recht des Jungen als Erstgeborenem hervorzuheben, erinnerte sich an vorsichtige Gespräche, an die Wanderungen von Vater und Sohn zum See, wo sie gemeinsam ein Holzfloß bauten.

Was hatte der Junge ihm geantwortet? Sie wusste es nicht, hatte sich auch nicht genügend darum gekümmert.

»Du Gott, falls es dich gibt«, sagte sie zum Himmel gewandt, »willst du mir vielleicht sagen, wie eine Mutter einen Sohn gebären kann, vor dem sie sich von der ersten Stunde an fürchtet?«

Sie bekam keine Antwort, hatte auch keine erwartet. Jetzt musste sie weiterwandern, hinunter in die Ebene.

Das Flachland war ein Leichtes, ohne Mühe konnte man darüber hinwegwandern. Auf halbem Weg traf sie auf ein Wäldchen und eine Quelle mit frischem Wasser. Sie löschte den Durst, wusch sich und ließ die Füße ins Wasser hängen, während sie aß. Sie hatte getrocknete Weißwurz dabei, und hier gab es sogar frische. Aber sie konnte sich nicht dazu aufraffen, den langen Wurzelsträngen zu folgen und sie aus der Erde zu graben. Ich bin müde, dachte sie. Ich muss meinen Mittagsschlaf halten.

In der Dämmerung näherte sie sich dem Fluss. Sie durchquerte den Hain dort, wo er am schmalsten war, hatte die Gegend noch im Kopf und fand die richtige Richtung. Es gab ihr ein Gefühl der Zufriedenheit, dass sie sich auf ihr Gedächtnis verlassen konnte, schon immer hatte sie einen klaren Kopf gehabt, und, weiß der Himmel, meistens hilft er einem gut durchs Leben, dachte sie.

Doch sie hatte nicht an das Großwild gedacht, die mächtigen Tiere, die am Abend zum Fluss an die Tränke kamen. Erst als sie den Boden unter sich dröhnen hörte, schoss ihr die Angst durch den Körper. War das vielleicht ein Erdbeben?

Dann tauchten sie auf, ihre riesigen Silhouetten hoben sich gegen den Abendhimmel ab, und sie spürte, wie ihr Herz aussetzte und erneut hart zu schlagen begann. Für ein paar Sekunden beschlich sie die Urangst, doch dann setzten die Gedanken wieder ein.

Ja natürlich, sie kannte sie gut, die Riesentiere, vor denen sich ihr Volk atemlos zitternd auf die Erde warf. Namen für sie hatte sie nicht, aber klare Erinnerungsbilder, und sie wusste: Die großen Tiere tun niemandem etwas.

Daran erinnere ich mich noch, dachte sie.

Dann setzte die Vernunft ein und sagte ihr, die Tiere seien ja vor ihr und versperrten ihr den Weg. Lautlos, ohne einen Halm zu knicken, wollte sie einen Bogen nach Westen einschlagen und sich dem Hain am Fluss von einer anderen Richtung her nähern.

Das Herz schlug wieder im alten Takt, und nun, da es sich beruhigt hatte, merkte sie, wie müde sie war. Sie musste sich in dem Wäldchen ein Nachtquartier suchen, musste sich oben in einer Laubkrone ein Lager herrichten. Es würde unbequem werden, dafür aber ruhig.

Lautlos wie ein Tier, das in der Nacht umherstreift, näherte sie sich dem Hain, fast schon am Ziel änderte sie ihren Schritt – von einem weichen Schleichen zu einem harten Auftrampeln. Sollte es hier Schlangen zwischen Unterholz und Gras geben, sie würde sie auf genügend Abstand halten. Dann suchte sie sich den größten Baum, der dem Flussufer am nächsten stand. Nun war es beinahe ganz dunkel, sie war zufrieden. Die Strecke, die sie durch die lange Nacht auf dem Felsabsatz verloren hatte, war wieder aufgeholt.

Nun befand sie sich wieder im Einklang mit der sich selbst gesetzten Zeit – noch zwei Tagesmärsche am Flussufer entlang, ein weiterer auf der anderen Seite.

Es war ein alter Baum mit starkem Geäst, großer Krone und einem knorrigen Stamm. Sie berührte ihn mit beiden Handflächen, beugte die Stirn gegen die Rinde zwischen den Händen und fragte ihn.

Ja, es war ein guter Baum, sie war willkommen. So gut er konnte, würde er ihr Schutz geben. Sie musste hochspringen, um den untersten Ast zu erreichen. Dann aber war das Klettern ein Kinderspiel, der Körper wusste noch, wie man sich von Ast zu Ast bewegen, wie man schaukeln musste, um in Schwung zu kommen, wollte man ein paar Zweige weiter nach oben gelangen. Sie hatte die Krone beinahe erreicht, als sie eine Astgabel fand, die verzweigt und ausladend genug war für eine Lagerstatt. Sie nahm die Decke aus dem Ranzen, band sie mit dem Seil um sich und befestigte das Ende dort, wo der Ast am dicksten war. Sollte sie wider Erwarten so fest schlafen, dass sie drohte hinunterzufallen, würde das Seil sie abfangen.

Jedenfalls bin ich außer Gefahr, dachte sie. Es würde eine harte Nacht werden, mit nur wenigen Stunden Schlaf und manchen Unterbrechungen. Lange war es her, seit sie zuletzt in den Bäumen geschlafen hatte, der Körper war eine andere Bequemlichkeit gewöhnt.

Außerdem fürchtete sie die Wildkatze, auch für sie war es ein Leichtes, auf Bäume zu klettern. Dumm ist nur die Wunde an der Hand, dachte sie, der Blutgeruch konnte die Katze anlocken.

Sie holte aus dem Ranzen Flintsteine und Span. Sollte das Tier umherstreifen, galt es, einen Span zu entzünden und ihn durchs

Geäst hinunterzuwerfen. Feuer scheute die Katze wie den Tod, es wäre ein sicherer Schutz.

Morgen würde sie für Kleider und Ranzen ein kleines Floß bauen und damit den Fluss überqueren. Lange schon hatte sie alles bis ins Kleinste geplant.

Aber das kam später.

Ja, weiter reichten ihre Pläne nicht, man kann sich nicht gegen das rüsten, was man noch nicht kennt. Ein Schauer durchfuhr sie bei dem Gedanken an das unbekannte Land, dem sie jetzt so nah war.

Aber sie schob die Angst von sich: blanke Dummheit. Sie musste doch dorthin, gerade weil es unbekannt war, ihre innere Karte musste zu Ende gezeichnet, musste vervollständigt werden.

Ich muss mich der Angst stellen, dachte sie. Sie existierte ja nur in den Gedanken. Hier in der Einsamkeit am Fluss war sie sich dessen jedoch nicht mehr so sicher. Aber auch die Zweifel schob sie von sich.

»Morgen«, sagte sie laut. »Morgen werde ich Klarheit bekommen.«

Aber das gab ihr nur wenig Trost.

Ein unbekanntes Land erwartete sie.

Und plötzlich verlor sie jedes Gefühl, wie damals, als der Junge starb.

Sie war jetzt furchtbar müde. Auch hungrig. Es war zu dunkel, um in dem Ranzen nachzusuchen, die Hand tastete herum, fand einen Apfel, zögerte kurz. Dann aß sie ihn widerstrebend, er war süß und bitter.

Vielleicht hoffte sie, er würde die Erinnerung stärken, der Apfel könnte ihr die Bilder vom Land ihrer Kindheit wiedergeben, jetzt, wo sie so nah war.

Viel Schlaf würde sie sowieso nicht finden, sagte sie sich, aber noch ehe sie den letzten Bissen hinuntergeschluckt hatte, war sie schon in den Halbschlaf, ins Grenzland hinübergewechselt.

Doch nicht ganz. Die Bilder kamen, nur die nicht, die sie sich eigentlich erhofft hatte. Es waren die Schreckensbilder von zu Hause. Der verletzte Körper des Jungen, die angsterfüllten Augen des älteren Bruders.

Ach, lass sie kommen, dachte sie. Ich muss es ja doch hinter mich bringen.

Kapitel 3

Es hatte wie ein ganz gewöhnlicher Tag begonnen – die Sonne stand golden über dem Weideland, auf dem die Tiere grasten. Die Jungen zogen wie immer nach der Morgenmahlzeit hinaus, der Älteste auf den Acker mit Korn und Gemüse, der Jüngste zum Stall, um das Wasser zu erneuern, Salz auszulegen und auszumisten.

»Das Fleisch geht uns aus«, hatte sie zum Mann gesagt, und der hatte genickt. Er tat sich schwer, ein Tier zu schlachten, und zog es so lange wie möglich hinaus, so war es jedes Mal gewesen, und ihm war klar, dass sie darum wusste. Sie aber wollte ihn nicht drängen, wollte nicht hartnäckig darauf bestehen.

»Es liegt in Gottes Hand«, hatte er gesagt, und sie hatte wie immer ein wenig gelacht, wenn er die Entscheidung Gott überließ.

Kurze Zeit später hörte sie ihn mit dem himmlischen Herrn sprechen, vom Garten herüber, wo sich der Mann unter dem größten Apfelbaum einen Altar gebaut hatte. Diese Bäume waren ihr ganzer Stolz, das Einzige, was sie aus ihrem Kindheitsland mitgebracht hatten. Damals waren es natürlich noch keine Bäume gewesen. Doch sie erinnerte sich an den Tag, an dem ihr aufgegangen war, dass die Setzlinge, die aus dem Abfallhaufen hinter ihrer Wohnhöhle sprossen, von den letzten fauligen Äpfeln stammten, die sie traurig wegwerfen musste und die sie bis weit in den Herbst hinein aufgehoben hatte.

Die Äpfel aus dem Land der Kindheit bekommen ja hier bei uns Ableger, hatte sie festgestellt und sie außer sich vor Freude dem Mann gezeigt. Er hatte seinem Gott gedankt, sie hatte die kleinen Setzlinge genommen und sie mit äußerster Behutsamkeit und größter Sorgfalt in einen ihrer ersten Lehmkrüge gepflanzt.

Es waren vier gewesen, alle waren angewachsen außer einem. Als das Frühjahr endlich kam, konnten sie in den Garten gepflanzt werden, den sie gerodet hatten und wo sie mit dem Anbau von essbaren Wurzeln und heilenden Kräutern begonnen hatte.

Eines der jungen Bäumchen war besonders kräftig, es schoss aus der Erde, entwickelte eine wundervolle Krone – zur größten Freude von Vögeln und Bienen. Sie erinnerte sich an die ersten Blumen, an das Summen der Hummeln und an die ersten bittersauren Früchte im Herbst.

Jetzt legte sich über die Erinnerung so viel Ruhe, dass sie einschlief und vollends in der weichen Dunkelheit versank.

Sie wachte auf von einem bedrohlichen Zittern der Zweige. Der Magen krampfte sich zusammen, es stach in den Händen. Beweg dich nicht, dachte sie, und drehte ganz, ganz langsam den Kopf, sah die Riesenkatze, die dort unten um den Stamm des Baumes strich, witternd, gesammelt, auf der Hut, auf der Jagd.

Satansbiest, du Teufel, dachte sie und blickte direkt in die schmalen, reflektierenden Augen. Sie kniff ihre zusammen, obwohl sie wusste, dass sie im Dunkeln nicht leuchteten. Langsam, lautlos griffen die Hände zu dem Span, den Feuersteinen. Es würde einen Knall geben. Wenn sie einen Funken schlug, würde die Katze sie dann anspringen, allein wegen des Geräusches? Wenn es nun nicht gelänge, wenn die Reibeflächen feucht wären und der Span sich nicht entzündete?

Ruhig, dachte sie, dir gelingt es immer beim ersten Funkenschlag. Warum sollte es diesmal nicht glücken?

Gleich darauf entflammte der Span in ihren Händen, und sie schickte ihn blitzschnell wie einen Donnerkeil nach unten zu den grünen Augen. Die Katze jaulte auf vor Schreck und Raserei, und es erfüllte sie mit Genugtuung.

Da hast du es.

Es roch verbrannt, für einen Moment befürchtete sie, der Boden würde Feuer fangen und sie wäre gezwungen hinterzusteigen, um es zu löschen. Aber das Feuer erstickte schnell in dem taufeuchten Gras.

Sie dankte dem Baum, dass er sie geweckt hatte, sie tätschelte die Feuersteine und schickte aus ganzem Herzen Grüße an das merkwürdige Hirtenvolk, das eines Tages im Winter bei ihnen aufgetaucht war und dem sie während eines Unwetters Obdach gewährt und bei einem Schlangenbiss geholfen hatte.

Als Dank hatten sie die Feuersteine zurückgelassen.

Im Halbschlaf kehrten die Erinnerungen zurück, aber sie würde sie zur Ordnung rufen und keine weiteren Ausflüge zu Apfelhain oder anderen hellen, erfreulichen Dingen zulassen.

Es war also an jenem Morgen gewesen, als sie ihn mit Gott hatte reden hören. Seine Stimme erinnerte sie stets an die eines anderen, wenn er betete, an jemanden, den sie gekannt und verloren hatte.

Später war er zu ihr zurückgekommen, feierlich und entschlossen. Ja, ein Lamm sollte geschlachtet und dem Herrn geopfert werden, hatte er gesagt.

Sie hatte sich gefreut, das bedeutete frisches Fleisch zu Mittag und gesalzenes Fleisch im Tonbottich, Vorrat für lange Zeit. Sie hatte den Zeremonien des Mannes draußen auf dem Feld und den Brandopferungen immer große Beachtung geschenkt.

Nun sollten die Jungen zum ersten Mal auf das Feuer aufpassen, hatte er gesagt. Er würde sie lehren, Gott anzurufen, während der Rauch zum Himmel stieg.

»Sie sind ja jetzt beinahe erwachsen«, hatte er gesagt.

Sie hatte genickt und ihn nur gebeten zuzusehen, dass sie das Fleisch nicht zu scharf brieten, und war ins Haus zurückgegangen, um aufzuräumen. Sie rollte die Decken auf den Langbänken rund um die Feuerstelle zusammen, füllte den Krug in der Nische an der Südseite mit frischen Zweigen und machte sich daran, die Asche aus der Herdstelle zu fegen.

Unten am See wollte sie am Brandplatz ein Feuer anzünden, um warmes Wasser für die Wäsche zu haben. Auch für den Mann und die Söhne, wenn sie nach getaner Arbeit, schmutzig und blutverschmiert vom Rauch und dem Opfertier, nach Hause kämen. Wenn sich das Wetter hielte, würde sie das Fleisch dort draußen kochen, hatte sie überlegt. Es sah aus, als würde es ein warmer Tag werden, am besten also, sich sofort um das Lamm zu kümmern.

Gerade hatte sie am See das Feuer unter dem großen Topf angefacht, da kamen sie über die Felder. Zuerst sah sie den Mann mit dem blutigen Opfertier in seinen Armen. Wie groß ihr das Lamm vorgekommen war. Und warum waren sie nur zu zweit, hatte sie noch gedacht.

Dann erinnerte sie sich an nichts mehr, nur, wie ihr langsam und unbarmherzig klar wurde, dass der blutige Körper, den der Mann trug, nicht der des Lammes war, sondern der des Jungen …

Jemand hatte geschrien, immer weiter geschrien – ein Urschrei aus Schmerz und Raserei. Erst hier in dieser Nacht ging ihr auf, dass sie es war, die geschrien hatte, niemals hatte sie geglaubt, dass solch ein Schrei ihr innewohnte.

Der Mann hatte versucht, ihr zu berichten, etwas zu sagen, aber sie war unerreichbar gewesen. Es gab kein Weinen in ihr, auch keine Trauer. Die Stummheit hielt tagelang an, sie hatte nicht den verletzten Körper angesehen, nicht einmal als sie eine Grube ausgehoben und ihn schließlich begraben hatten. Der Mann musste sich um alles kümmern.

Sie hatte sich verschlossen, stumm wie ein Bilderstock.

Unerreichbar.

Nur einen Gedanken hatte sie: Er ist tot. Ich bleibe zurück in der Gewissheit, dass geschehen ist, was unmöglich geschehen konnte.

Alles war vergebens gewesen.

Tage- und nächtelang hörte sie den Mann mit seinem Gott dort draußen unter dem Apfelbaum reden. Hin und wieder erreichten sie einige Worte aus dem Gespräch, auf diese Weise hatte sie erfahren, dass der ältere Junge den jüngeren erschlagen hatte.

Aber es war nicht in sie eingedrungen. Mit all dem Wissen um diesen Brudermord war sie nicht fertig geworden, damals noch nicht. Das Einzige, was sie beherrschte, war, dass er tot war, der kleine Junge, der groß geworden war und unmöglich sterben konnte. Er, für den sie und der Mann das Leben erobert hatten.

Sie war jetzt hellwach, hörte das Rascheln in der schweren Blätterkrone, sah schemenhaft die Vögel, die mit dem Kopf unter den Flügeln neben ihr im Baum schliefen. Es sah spaßig aus. Auch jetzt konnte sie noch nicht weinen.

In einer knappen Stunde würde sie im Morgengrauen die Landschaft erkennen können. Dann wollte sie weiterwandern.

Aber eine Stunde kann lang werden für jemanden, der sich vorgenommen hat, in seinen Erinnerungen zurückzugehen.

Es tat weh, als wäre etwas in ihr zerbrochen.

Würden die Tränen kommen, wäre es eine Linderung, glaubte sie.

Aber das Weinen hatte sie verlassen. An seine Stelle waren Zorn und Fragen getreten.

In der Kraft des Zorns hatte sie sich zur Reise in die Vergangenheit aufgemacht.

Jetzt tauchte das erste rosa Licht auf und ließ den Fluss dort unten glitzern. Der Wind rauschte durch die Baumkronen, strich über das Gras unter ihr. Die Vögel hoben ihre Köpfe unter ihren Flügeln hervor, schüttelten ihr Gefieder, plusterten sich auf. Von der Baumspitze her schickte eine Schwarzdrossel ein lang gezogenes Trällern in die Morgendämmerung.

Nun hörte sie auch das Rauschen des Flusses. Hatte das Wasser in der Nacht geschwiegen? Hatten ihre Bilder den Lauf des Flusses angehalten?

Auch in die Frau kam Bewegung, sie schälte sich aus ihrer Decke, packte den Ranzen und kletterte hinunter. Als sie zum Fluss ging, um sich zu waschen, kam die Sonne ganz zum Vorschein. Als stiege sie aus der Erde empor, dachte sie, während sie am Ufer kniete, Gesicht, Haare und Hände mit Wasser benetzte und trank.

Sie aß schnell und reichlich, wie jemand, der weiß, dass heute Kraft und Entschlossenheit von ihm gefordert würden.

Der Baum, auf dem sie geschlafen hatte, trug kleine, grüne Früchte, schwach glaubte sie sich zu erinnern, wie sie schmeckten, wie saftig und süß sie waren. Aber sie hatte keine Ruhe, sie jetzt zu probieren. Auf dem Heimweg, dachte sie.

Die kleinen Bambusrohre wuchsen genau dort, wo sie sie vermutet hatte: gleich südlich des Baumes. Sie schnitt sie mit dem Flintsteinmesser sauber und genau in der Länge ab, die sie brauchte. Mit geübten Händen flocht sie das Rohr aneinander. Und noch ehe die Sonne hoch am Himmel stand, war sie fertig mit dem kleinen Floß, dicht und leicht, bereit zur einer Probefahrt auf dem Fluss.

Sie senkte es ins Wasser, und es drückte sich nach oben wie die kleinen Barken, mit denen die Kinder zu Hause gespielt hatten. Gut, sie würde also dem Fluss ein Stück stromaufwärts folgen, um an der seichten Stelle gerade gegenüber an Land zu gehen.

Sie musste in nördliche Richtung schwimmen, nur wie weit? Es galt, die Strecke so genau wie möglich zu berechnen, die sie abwärts treiben würde. Drüben tauchte plötzlich ein Felsbrocken auf, merkwürdig, denn soweit sie sich erinnerte, war der Felsen vorher von der sonnenbeschienenen Ebene aus nicht zu sehen gewesen.

Sie nahm es als ein Zeichen, zog sich aus, legte Kleider, Decke und ihr Bündel auf das Floß und watete hinaus. Dort, wo der Fluss tiefer wurde, übergab sie sich ihm voller Vertrauen. Das Floß hielt sie an der Oberfläche, sie trieb eine Weile mit der Strömung und steuerte dann mit sicheren Beinbewegungen die gewünschte Richtung an. Es war schön, für eine Weile ließ sie alle Vorsicht außer Acht, gab sich dem Wasser und der Morgenfrische hin, hörte auf zu denken und sich zu grämen. Das Wasser spülte die Schmerzen der Nacht hinweg, der Wind strich die schlimmen Bilder aus ihrem Kopf.

Die bedrückenden Sorgen verblassen, dachte sie. Nicht lange, und ich werde mich ganz dem Augenblick überlassen.

Denn so war sie – selbst den Frieden lotete sie aus, sie berechnete Augenblicke der Sorglosigkeit wie jemand, der weiß, dass das Leben hart und voller Gefahren ist.

Langsam ließ sie die Füße auf den Grund der seichten Uferstelle gleiten, hatte vorausgeahnt, dass sie hier an Land gehen konnte, noch bevor sie die Füße zögernd auf den flachen Sand setzte. Dann watete sie zum Ufer, ließ sich vom Wind trocknen, zog sich an, kämmte die Haare und steckte sie auf. Packte ihr Bündel.

Das Floß versteckte sie für die Heimreise zwischen zwei Baumstämmen. Danach wanderte sie los, nach Osten, dorthin, wo die Sonne aufging.

Kapitel 4

Seltsam, während der ganzen Reise begann sie erst jetzt, an den anderen Jungen zu denken.

Daran, dass er getötet hatte.

Ebenso verwunderlich, dass sie nicht auf den Gedanken gekommen war, den Mann zu trösten. Seine Verzweiflung war so grenzenlos, trotzdem hatte es sie nicht berührt.

Er hatte sich heftige Vorwürfe gemacht. Sein Gott hatte ihn für irgendeine ungeheuerliche Sünde mit Strafe geschlagen. Seltsam, dachte sie. Und dann: später, alles später …

Andere Gedanken gingen ihr durch den Kopf. Würden sie für sich kochen, während sie nicht daheim war? Würden sie den Garten in der Trockenheit des Spätsommers gießen? Würden sie das Feuer in Gang halten, jetzt, wo sie die Feuersteine mitgenommen hatte?

Zwischen den Gedanken wurde es leer und still, das erstaunte sie. Es war keine unangenehme Stille, ganz im Gegenteil, sie brachte Linderung. Irgendwie hing es mit dem Licht hier zusammen, der Frau wurde plötzlich bewusst, dass sich das Licht verändert hatte. War es nicht weißer als sonst morgens? Fließender, mit weniger Schatten?

Sie blieb stehen und sah sich um. Ja, sie musste den Blick schärfen, um eine Pflanze von der anderen, Gras von Blumen unterscheiden zu können. Das Licht schien die Konturen, die Unterschiede auszulöschen.

Eigenartig, dachte sie. Aber ich bin wohl auch müde nach der schlimmen Nacht.

Erneut folgte sie einem Wildwechsel, dem Pfad der Tiere zum Fluss und der Tränke. Hin und wieder begegnete sie einem Rudel, ging beiseite und ließ es vorbeiziehen. Sie dachte nicht an Flucht oder Verteidigung, nicht einmal, als die große Katze vorbeistrich. Im Gegenteil, nichts passierte, vielleicht sehen sie mich nicht, überlegte sie, und dann: Es mag auch an dem Licht liegen …

Dann hörten die Gedanken auf, der Vormittag verstrich in vollkommener Leere. Sie spürte nur den Willen weiterzugehen, bis zu den großen Bäumen am Horizont.

Sie legte keine Mittagsrast ein, aber als sie die ersten Bäume erreicht hatte, spürte sie ihren Hunger. Sie öffnete den Ranzen nicht, kletterte stattdessen ganz selbstverständlich auf einen Baum, der etwas abseits stand, und aß von den Früchten. Es war genau so ein Baum wie der, auf dem sie die Nacht verbracht hatte, und die Früchte waren ebenso süß und saftig wie jene, an die sie sich vom frühen Morgen her noch zu erinnern glaubte.

Und unvermittelt schlief sie in der Baumkrone ein, so leicht und sorglos, wie schon viele Jahre nicht mehr.

Sie wachte von einem Lachen auf, von kullerndem, johlendem, dröhnendem Gelächter, unbändig und grob. Nicht boshaft, nein, voller Spaß und Freude klang es, jung, sehr jung.

Sie erkannte es sofort wieder, es war ein Lachen aus ihrer vergessenen Kindheit. Noch immer war das Licht weiß, aber ihre Sinne waren nach dem Schlaf geschärft.

Sie sah sie unter den Bäumen, die Jungen und Mädchen, jünger als ihre Söhne daheim. Sie sind nackt, dachte sie bei sich, seltsam, dass sie nackt sind. Sie sind nicht besonders hübsch, überlegte sie weiter, grobknochiger als wir, magerer. Und schmutziger.

Sie jagten ein Affenjunges, das von einem der Bäume gefallen war.

Die Frau warf einen schnellen Blick über die Lichtung, ja, dort saß die Affenmutter und bleckte die Zähne vor Angst.

»Lasst das Junge!«, rief die Frau, und einer der Knaben schaute verblüfft zu ihrem Baum hinüber. Er verstand nichts, er kannte keine Worte, das wusste sie wohl. Außerdem musste sie vorsichtig sein. Sie fand eine große Frucht und warf sie in die Gruppe. Das genügte – sie vergaßen den Affen, balgten sich jetzt um den Leckerbissen, und die Frau sah erleichtert, wie die Affenmutter ihr Junges in Sicherheit brachte.

Die Gruppe zog weiter zu neuen Abenteuern, das Affenjunge war bereits vergessen, gab es schon nicht mehr für sie.

Die Frau im Baum hielt sich mit einer Hand an dem Ast fest, gegen den sie sich lehnte, die andere drückte sie ans Herz, als wollte sie das unbändige, hüpfende Tier in dem Brustkasten dort drinnen beruhigen ...

Genau so war es, genau so. Freude, Jubel, Gelächter, Nacktheit, Unbeschwertheit. Waren sie verrückt?

Nein, dachte die Frau. Unschuldig – nicht verrückt.

Spontan – niemals überlegt. Jetzt – nicht später. Jetzt – nicht vorher. Hier – nicht dort.

Sie lehnte sich gegen den Stamm, beruhigte sich, nahm das weiße Licht in sich auf. Dem Licht sei Dank, dem Licht, das das Denken schwer macht, ging es ihr durch den Kopf.

Sie wusste nicht, wie lange sie dort saß, die Zeit hatte sie verlassen, aber allmählich reifte ein Entschluss in ihr. Sie wollte sich etwas tiefer in den Hain zurückziehen, bevor die Dämmerung kam. Sie lief den Pfad entlang, auf dem die Horde verschwunden war, hier war es schön, das Sonnenlicht spielte in den mächtigen Baumkronen, sie begegnete niemandem. Als sie sich dem Geschnatter, dem Geplapper und dem munteren Lachen näherte, suchte sie sich erneut einen Baum auf einer Lichtung mit heruntergetretenem Gras, eine Stelle, die die Augen wieder erkannten.

Die Augen erinnern sich, dachte sie. Nicht ich.

Sie hatte Glück gehabt mit dem Baum, die dicken Äste boten bequem Platz zum Sitzen und Liegen, die großen Blätter versprachen Schutz und Versteck. Von hier aus konnte sie Ausschau halten, ohne selbst gesehen zu werden.

Aber die Horde kam nicht zurück, war bloß in einiger Entfernung zu hören, manchmal näher, zuweilen war sie ganz verschwunden. Und das war vielleicht gut so, für heute hatte sie wohl genug gesehen, denn so manches gab es im Kopf zu ordnen und nachzudenken. Die kurze Begegnung hatte ihr eine klare Antwort auf die erste Frage gegeben: Sie wusste nun, weshalb sie sich nicht erinnerte.

Wer im JETZT lebt, hat keine Erinnerung.

Kann nicht gequält werden von den Schatten der Vergangenheit.

Wer im JETZT lebt, hat auch keine Zukunft.

Braucht sich nie zu ängstigen.

Die Frau bemüht sich, zu verstehen, doch den sich formenden Gedanken gelingt es nicht, sie gleiten ab ins Unbegreifliche. Wenn es dunkler wird, werden die Gedanken klarer, tröstet sie sich …

Aber noch vor Anbruch des Abends, genau in dem Augenblick, als das Licht vom Weißen ins Goldene überging und die Schatten auf dem Boden dort unten länger wurden, kam eine Frau mit einem Säugling im Arm daher. Selbstvergessen ging sie ihres Weges und lullte das Kind, das an ihrer Brust lag und saugte, in den Schlaf.

Sie war nicht hübsch, die Augen lagen eng beieinander, das Haar war strähnig, schwarz, der Rücken gekrümmt, Arme und Beine mager, dünn wie Stöcke. Dennoch waren sie und das Kind von Schönheit, von Frieden umgeben, die Zeit um sie herum schien stillzustehen. Und auch hier: kein Nachher, Vorher, Gestern, Morgen.

Nur das Jetzt.

Nur Freude über das Kind und dieses Schmatzen an der Brust.

Die Frau im Baum versank in sich selbst, hinab, zurück. Und während sie auf die Mutter und das Kind sah ohne sie wahrzunehmen, langte sie am Ursprung ihres Wesens an, wurde Teil des zeitlosen Lichts, das einmal ihr Zuhause gewesen war.

Auf dem Weg in die Vergangenheit und jenseits aller Grenzen traf sie auf längst vergessene Bilder. Einst war auch sie hier unter dem Baum entlanggegangen mit einem Säugling an der Brust, einem Mädchen ohne Lebenskraft.

Dieses Kind war gestorben.

Damals hatte sie sich entschlossen, den Tod zu überwinden. Nie wieder sollte so etwas passieren.

Sie sah die junge Mutter zwischen den Bäumen auf dem Weg zur Horde verschwinden. Das Bild hatte jetzt unscharfe, verschwommene Umrisse, und es dauerte eine Weile, bis die Frau verstand, warum. Sie weinte, die Tränen waren zu ihr zurückgekehrt. Sie weinte über das längst gestorbene kleine Mädchen, und sie trauerte endlich um den Jungen. Die Tränen schüttelten sie durch, brachen sich Bahn wie ein Strom und rissen alles Unentwirrbare und Unverarbeitete mit sich, alles Angestaute und Überfällige.

So überwältigend war das, was ihr hier an diesem ersten Abend in ihrem Kindheitsland widerfuhr, dass ihr mitten im Weinen einfiel, dem Gott ihres Mannes zu danken. Dank dir dort oben, dass du mir das Weinen wiedergegeben hast.

Ehe es völlig dunkel geworden war, schlief sie bereits. Noch immer schluchzte sie, aber die Erschütterungen, die das heftige Weinen verursacht hatte, ebbten langsam ab. Im Traum kehrte das tote Kind zu ihr zurück, und der Junge saß an ihrer Seite und strich ihr tröstend über das Haar.

»Hier ist es so hell, Mutter«, sagte er. Er habe eine Schwester getroffen, von der er nie etwas gewusst hatte, sagte er.

»Sie ist hier, Mutter.«

Die Frau versuchte, in die Richtung zu blicken, in die der Junge zeigte, aber das Licht war zu stark. Trotzdem wusste sie, dass das Mädchen dort war und sie neckte, über sie kicherte, mit Kernen nach ihr warf, mit Apfelkernen.

Sie wachte auf von den Sonnenstrahlen, die ihr direkt in die Augen schienen, und von einem neugierigen Affenjungen auf dem Ast über ihr. Die Fruchtreste, die in ihrem Gesicht landeten, kamen von ihm. Sie setzte sich auf und lockte das Äffchen, aber es verschwand.

Lange versuchte sie, den Traum festzuhalten …

Dann aß sie langsam von den frischen Früchten, sie schmeckten nach Honig und rochen nach wilden Blumen. Sie war seltsam glücklich.

Von der Horde war an diesem Morgen nichts zu hören. Wahrscheinlich kam sie am Nachmittag zu ihrer Lichtung, sagte sie sich, und das war ihr nur recht. Sie wollte Zeit haben.

Jetzt erinnerte sie sich klar an das Mädchen, wie hilflos es war. Sie selbst war sehr jung gewesen, auch sie fast noch ein Kind (wird man hier nie erwachsen?), und hatte nicht verstanden, warum ihre kleinen Brüste zu wenig Milch gaben. Das Kind hatte nicht geschrien (Gott im Himmel, es konnte wohl gar nicht schreien) und war langsam in ihren Armen verhungert.

Sie hatte es nicht einmal begriffen, auch nicht, nachdem das Kind schon aufgehört hatte, sie anzusehen, zu saugen, sich zu bewegen. Auch nicht, als es in ihren Armen steif geworden war, als sich die kleinen Beine und Finger nicht mehr bewegen ließen, als es eiskalt geworden war – nicht einmal dann.

Sie hatte das Kind an die Brust gedrückt, hatte versucht, es mit ihrem Körper zu wärmen.

Noch ein Bild erscheint: Eine alte Frau, drohend, gewaltig, geht auf sie zu, reißt ihr das Kind aus den Armen und schleudert es ins Moor.

Nicht einmal da begriff sie. Sie war ihm in den Sumpf hinterhergesprungen, hatte geschrien, wollte das Kleine zurückholen, man hatte sie herausgezogen, hatte sie ausgelacht, einfach ausgelacht.

Sie ist wohl wie die dort unten gewesen: Das, was du nicht mehr siehst, gibt es nicht, ist bald vergessen. Trotzdem war sie nicht wie sie, nicht einmal zu jener Zeit. Ihre Arme erinnerten sich, ihr Schoß krampfte sich vor Trockenheit und Schmerz, die Brüste spannten vor Sehnsucht nach dem Kind.

Und irgendwo an dieser Stelle zerflossen die Bilder in der barmherzigen Zeitlosigkeit des milden Lichtes, sie tauchte wieder zur Wirklichkeit auf, an die Oberfläche. Fest entschlossen, dass so etwas nie wieder geschehen durfte.

Es war ein Entschluss für die Zukunft. Die Frau im Baum holte tief Luft vor Verwunderung, als sie begriff, welchen Schritt es getan, welche Entdeckung es gemacht hatte – jenes Mädchen nämlich, das sie einst selbst gewesen war. Ist sie die Einzige in der Gemeinschaft gewesen, die von der Zukunft wusste und sich an ein Kind erinnerte, das gestorben war? Und warum ausgerechnet sie?

Es tauchten keine neuen Bilder auf, um ihr Antwort zu geben.

Kapitel 5

Jetzt hörte sie die Horde, sie war auf dem Weg zur Lichtung, wo sie saß. Feuersteine, Späne, alles an ihrem Platz – falls das Unglück die Gruppe zu ihrem Baum führte. Aber vermutlich hatten sie gegessen, vermutlich würden sie sich in den Schatten hier zum Mittagsschlaf zurückziehen.

Der Anführer der Horde kam als Erster. Wie klein er ist, dachte die Frau, die sich mit einem Mal an den riesenhaften Anführer aus ihrer Kindheit erinnerte. Dieser hier hatte schwarze, listige Augen unter einer breiten Stirn, die Haare hingen in grauen Strähnen herunter, die Arme waren lang und kräftig, die Beine kurz und flink.

Er sieht lächerlich aus, dachte die Frau erstaunt, als sie an die außerordentliche Würde ihres Hordenführers zurückdachte. Dieser hier war ein anderer Mann, das sah sie nun, der damalige Anführer war wohl gestorben. Trotzdem müssten sie einander ähnlich sein …

Er ist nackt, stellt sich auf einen flachen Stein inmitten der Lichtung, und als er mit dem Stock aufschlägt, bekommt er eine Erektion. Das Geschnatter in der Horde verstummt, die jungen Männer, die sich nach vorn gedrängt haben, schweigen beeindruckt, die jungen Frauen atmen nervös …

Aber er gähnt, klopft mit dem Stock und schreit: »Ihr dort, ihr.« Das sind Worte, denkt die Frau, er hat Worte. Wenige nur, aber sie reichten. Ja, so war es – bereits zu ihrer Zeit hatte sich eine Sprache entwickelt, kurze Männerworte, keine Sätze.

Es gab also doch Worte.

Die Gruppe lagert sich, man ruht sich aus, eng beieinander, schubst sich zuweilen – ein Ellbogen in einen Bauch, ein Kopf gegen einen Rücken. Und wieder das Lachen, dieses herrliche Lachen, dann Gähnen, Eindösen, Schlaf. Sie schlafen wie ein einziger riesiger Körper.

Die Augen der Frau wandern zum äußeren Rand der Horde, über die Mütter mit den Kindern hinweg zu den Älteren, den alten Frauen und Männern.

Ihre Augen suchen jedes Gesicht ab, jemanden muss sie doch wieder erkennen, irgendeiner muss ihr bekannt sein.

Aber nein.

Warum auch?

Die Frau versucht zu verstehen, doch es gelingt ihr nicht. Ein junger Mann kriecht zu der Mädchengruppe, alle seine Sinne sind gespannt, stets mit dem Blick auf den Hordenführer. Er nähert sich einem Mädchen, das tief schläft, und als er sein Glied von hinten in sie einführt, schreit sie vor Schmerz auf. Schnell legt er die Hand über ihren Mund.

Aber der Anführer schläft, und der heimliche Beischlaf ist schnell überstanden. Das Mädchen weint ein wenig, es blutet, hat Schmerzen – es ist ja noch ein Kind, denkt die Frau aufgewühlt in ihrem Baumwipfel. Das weiße Licht jedoch, das Licht der Unschuld, ist da und löscht aus, was soeben geschehen ist. Jetzt schläft die Vergewaltigte. Wenn sie aufwacht, hat sie alles vergessen.

Auch die Frau im Baum kämpft jetzt gegen das Licht und die Unwirklichkeit an, will nicht ausgelöscht werden, möchte die Zeit festhalten, den Raum, die Reihenfolge. Plötzlich erinnert sie sich an die Worte des Jungen im nächtlichen Traum: Hier ist es so hell, Mutter …

Das Licht ist für die Toten, denkt sie, und es kommt ihr beinahe so vor, als schliefen die Menschen hier auf der Lichtung nicht, sondern gehörten zum Reich der Toten.

Jedenfalls sind sie Grenzmenschen, denkt sie.

Eine alte Frau schläft etwas abseits am Fuß des Baumes. Die Frau betrachtet sie genau, und als sich die Greisin auf den Rücken dreht und ein runzliges Gesicht zum Himmel wendet, ringt die Beobachterin nach Luft, schließt die Augen und schaut erneut: Ja, die Alte war einmal ihre Freundin, ihre Spielkameradin.

Die Frau im Baum ist noch jung, die Frau auf dem Boden uralt. Sie muss die einzige Überlebende aus meiner Altersgruppe sein. Die anderen sind weg … Langsam wird das Erstaunen abgelöst von Triumph: Dann hatte ich also doch nicht so Unrecht. Wenn man in der Zeit lebt, kann man sie bewahren, kann sie hintergehen.

Nur wie lange?

Die Frau im Baum hatte sich bisher noch keinen Tag lang alt gefühlt. Aber sie hat einen Sohn verloren und weiß jetzt, dass man den Tod nicht hintergehen kann.

Auf einmal kommt ihr das alte Frauengesicht dort unten schön vor, Klugheit spricht aus ihm. Diese Runzeln haben Lebenserfahrungen eingegraben, denkt die Frau. Das bedeutet, die Greisin erinnert sich, sie könnte erzählen. Nein, nicht erzählen, sie hat keine Worte. Bloß Instinkt.

Wieso erinnert sie selbst sich dann?

Die Frau versucht sich zu erinnern, wie gestern, als die Bilder zu ihr kamen. Sie erinnert sich, wie sie in das Licht eintauchte und auf dem Weg nach oben auf alte Erlebnisse und Gefühle stieß. Vielleicht kann man auch auf diesem Weg Klarheit und Erkenntnis finden …

Wenn man sich anstrengt, es versucht.

Die Gedanken verlaufen sich wieder ins Formlose, weshalb sollte man sich anstrengen? Wem nützt das Vergangene?

Nur dem, der Angst hat?

Nur dem, der für die Zukunft plant, wo einem das Gelernte nützt …?

Jetzt kämpft sie gegen den Schlaf an und gegen die Zeitlosigkeit des Lichtes. Das alte Gesicht erinnert sie an etwas, an jemanden, denkt sie verschwommen. Kann sie es wagen, sich dem Schlaf hinzugeben ...?

Nein, sie widersteht, die Furcht schärft ihre Sinne. Fiele sie vom Baum, würde sie ausgelacht und verhöhnt, vergewaltigt und geschändet, die Haare würde man ihr ausraufen, die Kleider vom Leibe reißen. Dann gäbe es nur noch eine Möglichkeit zu überleben – mit der Horde herumzukrakeelen, ihr Leben wäre zerstört. Ich würde mich selbst verlieren, denkt sie, ein schrecklich beschämender Gedanke, den sie selbst nicht ganz versteht.

Dann ist es besser zu sterben, sagt sie zu sich selbst, richtet den Rücken auf, hält die Augen weit geöffnet.

So war das also mit dem Paradies der Kindheit, es schien ihr schlimmer als der Tod.

Jetzt wacht der Anführer auf, streckt sich, ruft ein paar kurze befehlende Worte – waren es Worte? –, und in die Horde kommt Bewegung wie in einen einzigen wogenden Körper.

Sie gehören zusammen, sind niemals allein. Wahrscheinlich kennen sie keine Grenze zwischen Ich und Du, zwischen ihrem eigenen Körper und dem der Horde. Die Frau versucht sich zu erinnern, wie es damals war.

Erneut wird sein Glied steif, jetzt leckt er sich lüstern über den Mund, und durch die Horde geht ein Raunen vor Begeisterung und Spannung. Dann greift er sich die bereits Vergewaltigte, merkt er ihren Blutgeruch und wird von ihm erregt? Die Vereinigung ist kurz und brutal, das Mädchen auf allen vieren vor ihm schreit auf vor Schmerz, vor Schreck und noch etwas anderem – ist es Lust? Als er zum vierten Mal das Glied in sie hineinstößt, jubelt die Horde, aber ein Zug von Überdruss erscheint um den Mund des Mannes, und er schlägt dem Mädchen mit dem Stock über den Rücken. Es flieht daraufhin zurück zur Frauengruppe.

Bei allem Abscheu merkt die Frau im Baum, wie ihre Brustwarzen unter ihrer Kittelbluse steif werden und dass sie zwischen den Beinen feucht wird. Dunkle Bilder werden in ihr wach, saugend und berstend vor Lust. Sie führt die Hand zur Klitoris, die jetzt geschwollen und glatt ist, reibt sie, bekommt einen Orgasmus, der nur ein schwacher Abglanz ist von jener Lust, die nun von der Lichtung dort unten zu ihr hinaufdünstet. Denn nachdem sich der Hordenführer befriedigt hat, rücken die jungen Männer heran, ziehen die Frauen aus der Gruppe und schreien auf vor Wollust, während ein Besteigen dem anderen folgt. Besonders schlimm ergeht es der bereits zweimal Vergewaltigten, sie meinen wohl, sie könnten etwas von der Kraft des Hordenführers abbekommen, wenn sie auch in sie eindringen.

Der Frau, der Beobachterin oben im Baum ist jetzt übel. Als die Horde aufbricht, schließt sie die Augen, atmet tief ein, ja schämt sich.

Ich muss etwas Ordentliches essen, denkt sie. Von diesen Früchten hier allein werde ich nicht satt.

Nun waren sie endlich verschwunden, und sie konnte hinunterklettern – sämtliche Gelenke waren steif. Sie hatte hier oben seit dem vergangenen Abend gesessen, jetzt war es später Nachmittag. Genau im Westen ist eine Quelle, erinnerte sie sich. Sie fand sie, wusch sich sorgfältig den ganzen Körper, kämmte sich, flocht ihr Haar.

Noch vor Einbruch der Dunkelheit war sie wieder in der Baumkrone. Sie aß von dem gesalzenen Schafsfleisch, weichte das trockene Brot in dem frischen Quellwasser auf und nahm sich einen Apfel. Danach faltete sie die Decke auseinander und freute sich auf die Nacht und die Dunkelheit, die rasch den Himmel eroberten.

Die Dunkelheit schärft die Gedanken, sagte sie sich. Aber erst einmal muss ich schlafen.

Kapitel 6

Auch in dieser Nacht schien es ihr, als habe sie im Traum Besuch von ihren toten Kindern bekommen. Aber es war mehr eine Ahnung als ein Bild, verschwommen und ohne Form. Vor dem Morgengrauen wachte sie auf, wie sie es sich vorgenommen hatte, und setzte sich zurecht, um nachzudenken.

Einmal war es ihr ergangen wie dem armen Mädchen, das man vergewaltigt hatte, denn sie selbst muss es wohl damals gewesen sein. Aber es kamen keine Bilder, keine Erinnerungen, nur ein ziehendes Gefühl im Bauch bei der Erniedrigung, dem Ausgeliefertsein, der Grausamkeit, welches die Lust noch verstärkte.

Sie bekam Sehnsucht nach zu Hause und schämte sich der Lust – bei aller Abscheu, die sie empfand, als sie gestern Nachmittag zugesehen hatte. Sie sehnte sich nach dem Mann und seiner Zärtlichkeit, nach den sanften Liebesstunden, wo die Lust süß und unter Kontrolle war.

Und noch eine Entdeckung machte sie: Alle ihre Gleichaltrigen waren tot, die Greisin als Einzige übrig geblieben. Warum sind sie so früh gestorben? Aber sie wusste schon: nur Früchte, nie Fleisch, der Schmutz, und wie nachlässig sie mit ihrem Körper umgingen. Wohin brachten sie ihre Toten? In das Moor, ja in das Moor, sagte ihr die Erinnerung. Ein Grab schaufelt jemand, der sich an einen Menschen erinnert, wozu ein Grab für jemanden, der nur Teil eines großen, sich ständig erneuernden Körpers war?

Die alte Frau hatte sie an etwas erinnert – waren es ihre verhärmten Gesichtszüge, der leichte Bogen ihrer fein geschnittenen Nase? Sie berührte ihre eigene Nase, spürte deren Beschaffenheit, die sanfte Krümmung auf dem Nasenbein.

Du könntest meine Schwester sein, dachte sie.

Gleich darauf erinnerte sie sich an ihre Mutter.

Das Bild war so deutlich, dass sie schon sagen wollte: »Guten Tag, Mutter. Ich bin zurückgekommen.«

Und beinahe, beinahe konnte sie das Bild antworten hören: »Kind, ich sehe es.«

Sie war schön, die Mutter, mit der fein gebogenen Nase, wie der Schnabel eines Falken, ach, wie schön sie war. Und einsam. Die Horde hatte sie gefürchtet, sie spürte ihre Einsamkeit, von Gruppe zu Gruppe gingen Signale, die warnten: Sie ist mit den Mächten im Bunde. Sogar der Hordenführer hatte Respekt vor ihr gehabt, hatte sie gemieden. Niemand hatte einzugreifen gewagt, als sie entschied, ihr Mädchen bei sich zu behalten, selbst dann nicht, als die Kleine schon laufen konnte.

Das war höchst ungewöhnlich, denn Kinder waren Eigentum der Gruppe, sobald sie laufen konnten. Niemand kannte ihre Väter.

»Warum hast du mich behalten, Mutter?«, flüsterte die Frau dem Bild zu.

»Ich habe dich geliebt, mein Kleines.«

»Du warst es, die mir Worte beigebracht hat.«

»Ja, so wie sie mich meine Mutter gelehrt hat.«

»Wie war es, als ich geflohen bin?«

»Sie haben mich erschlagen.«

»Ach, Mutter …«

Das Bild lächelte, als wollte es sagen, so schlimm sei es doch nicht gewesen, aber die Frau im Baum weinte bei der Erinnerung.

Sie weinte noch immer, als die ersten Sonnenstrahlen bereits über die Baumwipfel schienen und sich das Bild der Mutter auflöste.

Sie dachte nun, sie müsste etwas tun, sich bewegen – es war

alles viel zu viel. Eine Stunde des klaren Morgenlichts verblieb ihr noch, und mit ihm die scharfen Konturen, dann würde das weiße Licht zurückkehren und die Grenzen verwischen.

Nur für kurze Zeit am Morgen durchschaue ich die Dinge, dachte sie bei sich, während sie vom Baum hinunterkletterte. Später nimmt erneut die Zeitlosigkeit überhand. Ich muss versuchen, daran zu denken. Zur Morgenstunde also muss ich die notwendigen Beschlüsse fassen. Früh am Morgen.

Sie ging zur Quelle, zog das Hemdgewand aus, benetzte das Gesicht und trank. Das Wasser war kalt, es schärfte die Sinne. Noch einmal kämmte sie die Haare, flocht sie und steckte sie hoch. Das Wasser der Quelle benutzte sie als Spiegel.

Das dort bist du, dachte sie beim Anblick ihres Spiegelbildes. Du ähnelst deiner Mutter – die gebogene Nase, die hohen Backenknochen, der große, sinnlich geschnittene Mund. Der lange Hals wie bei ihr, die hohe Stirn. Du bist hübscher als sie, weicher, weniger verhärmt.

Bis jetzt noch, fügte sie hinzu.

Sie beugte sich tiefer über die Quelle. Du bist auch härter, fügte sie in Gedanken hinzu. Sie blickte sich lange in die aufmerksamen, wachsamen Augen. In denen der Mutter war aber noch etwas anderes gewesen: ein Wissen, das sie selbst nicht besaß.

Gleich darauf spürte sie, dass man sie beobachtete, erschrocken fuhr sie herum. Die Alte vom Vortag stand dicht hinter ihr, blickte sie mit weit aufgerissenen, neugierigen Augen an.

Ich bin nackt, dachte die Frau und zog das Gewand über. Das erschreckte die Alte, die ein paar Schritte zurückwich, dann aber stehen blieb und sie unablässig anstarrte.

So standen sie beide dort.

Vorsichtig sagte die Frau: »Guten Tag, ich bin deine Schwester, ich bin zurückgekommen.« Aber die Worte erschreckten noch mehr als die Kleidung, die Greisin zog sich weiter zurück.

Doch dann wich die Angst von der Alten, sie kam näher, es war, als zöge die Frau sie mit ihrer weichen Stimme zu sich heran.

Guter Gott, was soll ich tun, dachte die Frau. Sie ist meine Schwester, sie ist alt und krank und schmutzig. Ich möchte sie waschen, ihr etwas von dem Fleisch, der Weißwurz und dem Brot abgeben. Sie ist übersät mit Wunden, hat Krätze und ist voller Läuse, bald wird sie sterben und ist doch noch gar nicht alt.

Mit etwas Pflege könnte sie sich wieder erholen. Die Frau streckte die Hände zu ihr aus, ging ein paar Schritte auf sie zu.

Das war zu viel, die Alte verschwand blitzschnell zwischen den Bäumen, behände wie ein aufgescheuchtes Tier.

Sie würde die anderen hierher führen. Es ist wohl das Beste, ich gehe zurück in mein Versteck auf dem Baum.

Ihr Blick wurde durch Tränen getrübt, als sie hinaufkletterte. »Teufel auch«, sagte sie laut. »Wir hätten uns auf andere Weise begegnen können, wie Schwestern.«

Im Schutz des Baumes gab sie sich zunächst der Trauer hin, dann dem Trost. Vor allem tröstete sie sich mit der Begründung: Was hättest du mit ihr angefangen, nachdem du sie gewaschen und ihre Wunden versorgt hast? Selbst wenn man sie eine Sprache gelehrt hätte – was dann? Was hätten wir Gemeinsames gehabt, was tauscht man mit jemandem aus, für den es weder ein Gestern noch ein Morgen gibt? Es gibt nichts, worüber man reden könnte, nichts zu erzählen, wenn man nur ein JETZT hat.

Sie ist wie ein Tier, sie fängt an, sich aus der Horde zurückzuziehen, weil sie den Tod nahen fühlt. Dennoch weiß sie nichts davon, dachte die Frau und hörte auf zu weinen.

Sie weiß nichts vom Tod, sie folgt nur einem Gefühl.

Sie hatte die gleichen Augen wie die Mutter. Ach, dieser Blick, den ich vermisse.

War es Instinkt?

Nein, Einsicht. Wissen.

Ein Wissen sprach aus den Augen der Mutter, das ihr fehlte, sie hatte es in ihrem Spiegelbild an der Quelle gesehen.

Was war in diesen Augen der Mutter, das ich verloren habe?

Sie nahm den Beutel mit der Wegzehrung hervor, schnitt sich ein großes Stück Fleisch ab, das Wasser im Ledersack war lauwarm – ich habe vergessen, ihn unten an der Quelle frisch zu füllen. Aber es machte nichts, sie hatte ja die Frucht, von denen die Bäume übervoll hingen. Sie schmeckte süß und etwas fade, doch sie war überaus saftig.

Ich bin die Kost schon leid, dachte sie und sehnte sich nach Hause, sehnte sich nach warmem Essen, nach Suppe und Brot. Uns geht es ja so viel besser, in allen Dingen so viel besser, überlegte sie und dachte an das Feuer im Herd, an die prächtigen Vorratskrüge voller Gemüse, gesalzenem Fleisch und Fisch, voller Honig und Beeren. Dachte an den Tisch, den ihr der Mann gebaut hatte, an die Bänke mit ihren wollenen Auflagen, an die Wärme, den Schutz, die Behaglichkeit, an die Gespräche, wie der Tag gewesen war, an die Pläne für den nächsten Tag, die Geschichten und Märchen, die sie sich gegenseitig erzählten.

Meistens drehte es sich allerdings um jenes Land, das sie verloren hatten. Die Geschichten über die Heimat waren gewachsen wie die Apfelbäume im Garten, sie hatten neue Triebe bekommen, hatten sich verzweigt und geblüht, waren in ihren Ausschmückungen immer merkwürdiger geworden.

Lügen waren es, dachte die Frau.

Lügen können sich dort ausbreiten, wo das Wissen fehlt.

Lügenmärchen waren sie allesamt, je mehr Jahre vergingen, desto üppiger wurden sie. Das Kindheitsland hier ist ganz und gar geschichtenlos, ging es ihr durch den Kopf. Es ist nur wahr und sonst nichts.

Jetzt zog das weiße Licht auf, das machte sie unsicher.

»Die Wahrheit bedeutet ja, dass das Leben hier auch einen Inhalt hat, von dem ich nichts verstehe«, sagte sie direkt in das Licht hinein. Denn ehrlich und gerecht wollte sie doch sein.

Und hierin lag etwas Wesentliches.

Mit den Märchen zu Hause hat das natürlich nicht viel zu tun. Die Geschichten bauen sich aus Worten auf.

Ich denke in Worten, versuche durch Worte zu begreifen. Vielleicht ist das der Grund, weshalb ich nicht verstehe.

Vielleicht teilen, zerstückeln und zerhacken Worte und bewirken somit Unterschiede.

Vielleicht sehe nur ich die Unterschiede?

Vielleicht wissen sie ja in diesem Land hier um eben diesen Zusammenhang. Gibt es bei ihnen Ganzheit?

Habe ich dagegen nur Bruchstücke?

Der Morgen war nun vorüber, und das weiße Licht hatte die Welt erobert. Die Frau kämpfte eine Zeit lang dagegen an, wollte die Dinge unter Kontrolle halten, wollte zwischen sich und dem Licht eine Grenze ziehen.

Weshalb? Gib dich ihm hin, lass es in dich hineinfließen.

Sie wusste nicht, woher die Aufforderung kam, aber sie gehorchte, lehnte sich zurück, entspannte sich. Sie hatte Angst, sich aufzulösen, ängstliche Gedanken huschten noch eine Weile durch ihren Kopf, planlos wie erschreckte Mäuse.

Dann verflüchtigten sie sich, einer nach dem anderen.

Kapitel 7

Sie geht über die Felder im Land der Kindheit, ihre kleine Hand in der Hand der Mutter. Es ist früh am Morgen, die Sonne spielt zwischen den Baumstämmen mit den langen Schatten, die Vögel jubilieren in den Wipfeln.

»Kind, hörst du den Kuckuck?«

Kuckuck, kuckuck – ja, sie hört ihn und nickt.

»Es ist ein grauer Vogel, und er versteckt sich gern«, sagt die Mutter, und sie nähern sich vorsichtig dem Laut, ja, da ist er, der Vogel. Merkwürdig, findet sie, so grau zwischen all den leuchtend bunten Farben. Etwas Feierliches umgibt Mutter und Kind.

»Sie legen ihre Eier in fremde Nester«, sagt die Mutter und lacht dabei ein bisschen. Kein anderer lacht so wie sie. Das hat etwas zu bedeuten, denkt das Mädchen. Was verbirgt sich diesmal dahinter? Ein Vorwurf, eine Andeutung von Missbilligung? Fast klingt es so, als wäre sie unzufrieden mit dem Mädchen.

Die Mutter mag den Kuckuck nicht, denkt das Kind, sie ist wütend über ihn, wegen der Eier.

»Eier«, sagt es und »Wut«.

Aber die Mutter legt schnell die Hand auf den Mund des Kindes – richtig, sie darf nicht sprechen. Zuhören ja, aber keine Wörter wiederholen, das Kind weiß es und will es der Mutter so gern recht machen. Und sie erinnert sich an deren Furcht, als sie damals in der Horde vor sich hin plapperte und bei dem munteren Geschnatter immer wieder mal ein Wort auftauchte, das einfach nur Ausdruck eines Gefühls war.

Nichts fürchtete die Mutter mehr. Jedes Mal, wenn es passiert war, hatte die Mutter den Morgenspaziergang ausfallen lassen, dann waren sie beide den ganzen Tag bei der Gruppe geblieben. Und für das Kind gab es keine Wörter mehr. Später dann, wenn die Mutter sicher war, dass das Kind die Wörter vergessen hatte, waren sie wieder gemeinsam losgegangen, immer frühmorgens und weit weg von der Gruppe. Die Mutter hatte ihr die Pflanzen und Tiere erklärt, den Lauf der Sonne, die Wolken am Himmel und den Regen, hatte ihr von den hohen Bäumen erzählt und von der Schlange im Gebüsch.

Einmal waren sie in der Nacht losgezogen, zu einer Lichtung weit entfernt vom Schlafplatz der Gruppe, dort hatten sie sich auf die Erde gelegt und die Sterne betrachtet. Die Mutter hatte von der Nacht erzählt, von der dunklen Königstochter, die ihr Haar kämmte, sodass es oben am Sternenhimmel funkelte.

»Sie macht sich schön für das Licht«, hatte die Mutter gesagt. »Aber es nützt ihr nichts, denn ehe das Licht kommt, jagt man sie doch weg.«

»Warum, Mutter? Warum?«

»Sie können nicht miteinander leben. Sie möchten gern, aber sie können nicht«, hat ihr die Mutter erklärt. »Die Nacht ist die Schöpferin der Worte, die kalte, klare Nacht erschafft die Gedanken in deinem Kopf. Verstehst du das, mein Kind?«

Das Mädchen nickt, ja, es glaubt zu verstehen. Sie und die Mutter, die Gedanken und Worte gehören zur Nacht und dem ganz frühen Morgen mit seinen langen Schatten.

Die Horde schläft die Nacht hindurch bis in den Morgen hinein, sie gehört dem Licht. Und das Licht verjagt die Nacht.

Sie müssen sehr vorsichtig sein.

Auf diesen Wanderungen in den Morgenstunden sammelt die Mutter heilende Pflanzen, Breitwegerich für die Wunden, Johannisbrot für den verdorbenen Magen, Nesselkraut, das sie klein hackt und mit Wasser zu einem Brei vermengt, der das Fieber senkt, Eukalyptussprossen gegen Schnupfen ...

Die Mutter hat großes Wissen, deshalb lässt man sie auch in Ruhe. Das Mädchen weiß es, ihm ist auch klar, dass es viel lernen muss, weiß, ohne es gedacht zu haben: Wissen bedeutet Macht.

Niemand wagt, ihrer Mutter zu nahe zu treten, sie entgeht den Schlägen des Hordenführers, wenn er einen seiner Wutanfälle bekommt und wie ein Verrückter über die Gruppe herfällt, sie anschreit, vergewaltigt oder wie von Sinnen um sich schlägt.

Die Mutter ist gut.

Er ist böse – ist das so?

Die Mutter schüttelt den Kopf, nein, er weiß nichts von Gut und Böse.

Das Mädchen wächst heran. Immer häufiger zieht es das Kind zu den anderen in der Horde, nimmt es am Leben des großen Körpers teil, lebt ganz im Jetzt. Die Augen der Mutter folgen dem Kind. Trotzig und doch schuldbewusst zeigt es ihr: Mutter, ich will nicht.

Ich will wie die anderen sein, will nichts wissen von diesen Nächten und Morgenstunden. Ich will im Licht sein, ohne Wissen, ohne Zeit.

Bald ist das Mädchen kein Kind mehr.

Immer öfter weicht es dem Blick der Mutter aus, obwohl es weiß, dass sie dem Mädchen beständig in einigem Abstand folgt.

Es tobt und lacht mit der Gruppe und gibt sich ganz dem Licht hin. Es will sich nicht schuldig fühlen und nicht diese betrübten Blicke sehen.

Die Frau im Baum taucht aus ihrer Versunkenheit auf. Selbstvorwürfe treiben sie an die Oberfläche, mit trockenen Augen blickt sie über die unbewegte Landschaft hin.

Ich habe dir wehgetan, Mutter.

Der Schmerz ist stumm, er hat niemanden, mit dem er sich austauschen kann. Er hat kein Gegenüber, zieht sich nach innen zurück.

Was war seitdem geschehen?

Sie sieht das weiße Licht durch das Laub schimmern, und wieder taucht sie darin ein.

Es ist trockener, heißer Sommer. Nächtlicher Regen hatte die Horde weitergetrieben, später dann sind die Quellen versiegt und die Früchte vertrocknet. Doch bei aller Zeitlosigkeit macht sich unter den Ältesten der Horde Unruhe breit.

Der Anführer tauscht mit der Mutter Blicke aus, er sucht sie auf und sitzt in langem, wortlosem Gespräch vor ihr. Ergeben, beinahe demütig erscheint er ihr.

Die Mutter dagegen sitzt aufrecht da, ungebeugt wie immer. Aber sie gibt nach und nickt, ja, ich gehe. Gleich darauf deutet sie auf das Mädchen.

Es ist hoch aufgeschossen, hübsch und nicht mehr so mager, es liegt wohl an der Weißwurz. Die Mutter hatte sie dem Kind bei den zahlreichen Wanderungen heimlich in das Essen gemischt. Unwillig nur lässt der Hordenführer sie ziehen, denn seit langem schon hat er das Licht um das Mädchen bemerkt. Zwar ist es noch nicht voll entwickelt, noch nicht ganz reif, aber das ist nur eine Frage der Zeit.

Er muss also nachgeben, und die Mutter nimmt das Kind bei der Hand und begibt sich auf die lange Wanderung nach Osten, zur Hütte des Schamanen am Baum der Erkenntnis in dem großen Hain.

Vor ihnen liegt gut und gern ein Tagesmarsch, und die Mutter spricht wieder, sie erzählt:

»Siehst du die Wolken am Himmel, Kind? Es sind nur dünne Sommerwolken, sie bringen keinen Regen. Alles ist vertrocknet, siehst du das Gras, wie verbrannt es ist? Und hörst du, wie verzweifelt die trockenen Baumkronen rascheln?«

Das Kind achtet genau auf die Worte, und die alte Vertrautheit ist wieder da. Es versteht die Gefahr nicht, und doch spürt es die Unruhe in der Stimme der geliebten Mutter, will sie trösten. Das Band zu ihr ist stark. Das Mädchen möchte zeigen, dass es sich nun ganz im Sinne der Mutter entwickelt hat, es nimmt die Worte auf, hört aufmerksam zu, versteht sie, spricht aber nicht.

Das war es doch, was die Mutter wollte.

Die Hütte des Schamanen versetzt das Mädchen in unglaubliches Erstaunen, mit großen Augen geht es um sie herum, wagt schließlich die Hand auszustrecken und streicht über die Wände. Sie bestehen aus geflochtenen Zweigen, getrocknetem, sprödem Gras und hartem Lehm – viele Tage waren wohl notwendig gewesen, so etwas aufzubauen.

Er musste einen Plan gemacht und nachgedacht haben, musste nach Zweigen in der nötigen Länge und nach feuchtem Lehm gesucht haben. War wohl jeden Morgen losgezogen und hatte Zweige gesammelt, sie zurechtgeschnitten und geflochten, hatte Gras geschnitten, es mit nasser Erde vermischt und dann die Sonne abgepasst, bis sie hoch genug stand, um die Wände zu trocknen. Schritt für Schritt hatte er sie aufgebaut – das Mädchen verstand ganz genau, wie es vor sich gegangen war.

Zum ersten Mal sieht es das Ergebnis einer zielbewussten Arbeit und ist voller Bewunderung. Auch ein bisschen bange.

Er muss ein bedeutender Mann sein, denn selbst die Mutter hat große Achtung vor ihm.

Schließlich wagt sich das Mädchen in das Haus, und dort drinnen sieht es noch merkwürdiger aus. Es gibt Bänke und einen Tisch, sie betrachtet alles stumm und mit großen Augen. Am schönsten aber sind die Krüge, große Lehmkrüge, voller Früchte und Beeren. In dem einen hat er getrocknete Feigen aufbewahrt, getränkt in klebrigem Honig, und sie darf davon probieren.

Niemals, weder zuvor noch später, hat sie je etwas so Köstliches gegessen.

Sie sitzen auf den Bänken um den Tisch herum, und es ist ein eigentümliches Gefühl. Zum ersten Mal im Leben kostet sie Brot, trockenes Fladenbrot. Es schmeckt nicht besonders gut, trotzdem isst sie davon, denn sie weiß, dass es so am besten ist. Er schneidet das Brot mit einem Messer durch und lacht über ihr Erstaunen, als der scharfe Flintstein das Brot in Scheiben teilt.

Die Mutter und der Schamane reden miteinander, und zum ersten Mal hört das Mädchen einem Gespräch zu, Wörter kommen von dem einen und werden von dem anderen aufgenommen, werden verflochten und aus ihnen entsteht etwas Sinnvolles.

Dies erscheint dem Mädchen noch seltsamer als das Haus, es versteht nur ein paar Brocken, trotzdem erfasst es den Zusammenhang: Fragen, Antworten, und wieder Fragen …

Erst recht sonderbar wird es, als die Mutter aus Worten ein Bild malt, ein Bild von der Horde, den Alten, die sterben (was meint sie damit?), Neugeborenen, die nicht genügend Milch aus der Brust der Mutter bekommen (das versteht sie schon besser, sie hat sie schreien hören), als die Mutter von den Vögeln erzählt, die keine Eier mehr legen, seitdem die Horde die Nester plündert, von dem Gras, das gelb wird, den Früchten, die vertrocknen, und den Quellen, die versiegen.

Sie schildert es so genau und lebendig, dass sich das Mädchen umsieht – nein, hier ist es nicht. Sie ist verunsichert, auf so eigenartige Weise kann man also Worte gebrauchen, so, dass man hier und zugleich an einem anderen Ort sein kann.

Man kann im Früher sein und im Jetzt, und am merkwürdigsten von allem: Man kann im Später sein.

»Noch ehe zehn Sonnenumläufe vergehen, sterben uns die Kinder weg«, sagt die Mutter.

Das Mädchen versteht die Gefahr nicht, es bleibt mit seinen Gedanken an diesen seltsamen »zehn Sonnenumläufen« hängen. Mit Worten kann man also eine Zeit messen, die es noch nicht gibt.

Kapitel 8

In der Hütte des Schamanen, dicht hinter dem alten Mann am Tisch, steht ein Junge, ein großer Junge. Er hört zu, sieht die Mutter an, während sie erzählt, aber meistens blickt er zu dem Mädchen.

Sie schaut zurück und vergisst eine Weile, der Unterhaltung zu folgen und deren Inhalt zu verstehen. Was für schöne braune Augen der Junge hat, sie sind weich und voller Sehnsucht.

Wonach sehnst du dich, fragen ihre Augen.

Nach dir, antworten seine.

Das Mädchen spürt, wie ihr Körper warm wird, ein schönes Gefühl, sie spürt das Herz schlagen.

Ich habe auch Sehnsucht nach dir, gibt sie ihm zu verstehen.

Doch es ist eigentlich nur ein Spiel, denn Sehnsucht bedeutet Warten, Zeit, Morgen, zehn Sonnenumläufe. Sie mag das nicht.

Sie will nicht, möchte das unschuldige, rücksichtslose Jetzt in der Horde.

Da lachen ihr die braunen Augen zu: Ich warte auf jeden Fall, sagen sie.

Der Junge ist anders als alle, die sie kennt, trotzdem weiß sie, dass er früher bei der Horde war. Sie erkennt ihn wieder, obwohl er nie zu ihren Spielkameraden gehört hatte. Er ist älter als sie.

Wann hat er die Horde verlassen? Warum ging er zu dem Schamanen und was macht er hier?

Später am Abend, als das Mädchen schlafen soll, sich aber fürchtet – es hat noch nie in einem Haus geschlafen –, erklärt ihr die Mutter: Hin und wieder opfert die Horde dem Schamanen einen Jungen, als dessen Lehrling und Nachfolger. Der Schamane wählt ihn selbst aus, nachdem er sich ein paar Tage in der Horde aufgehalten hat.

»Es muss ein Junge sein mit einem großen Kopf, in den viele Gedanken passen«, sagt die Mutter. »Es muss Platz darin sein für alles, was er zu lernen hat.«

»Lernen? Ach ja, ich weiß schon – wie man Häuser baut und Tonkrüge macht.« Das Mädchen ereifert sich und ist neugierig.

Die Mutter lacht: »Ja, das auch. Aber zuerst muss er über diese Macht etwas lernen, die niemand sehen kann und trotzdem das Leben der Menschen bestimmt. Diese Macht heißt Gott«, erklärt sie.

»Spricht dieser Gott zu uns?« Das Mädchen blickt sich erschrocken um.

»Ja, wenn wir zuhören.«

Jetzt ist dem Mädchen erst richtig bange, wo ist er, wieso kann er reden, wenn er unsichtbar ist, was will er?

»Genau das erforscht der Schamane und bringt es dem Jungen bei. Morgen werden sie versuchen, Gott um Regen zu bitten. Er ist ein guter Gott«, sagt die Mutter.

Aber das Mädchen hört die Angst der Mutter heraus, auch sie fürchtet die unbekannte Macht. Wie mag er aussehen, der Gott?, fragt sich das Mädchen.

Die Mutter lächelt und sagt leise: »Wenn du Gott zuhören willst, machst du am besten die Augen zu.«

Sie schließt die Augen, und dort in der Dunkelheit begegnen ihr die braunen, funkelnden Augen des Jungen.

Und mit dem Blick in sich schläft sie schließlich ein.

Im Morgengrauen, in den klaren Stunden der Worte, hört sie die Mutter draußen vor der Hütte mit dem Schamanen sprechen. Sie reden über sie, und sie liegt ganz still, gespannt wie ein Bogen, damit ihr kein Wort entgeht.

»Was hast du mit dem Mädchen vor?«, fragt die Stimme des Schamanen auffordernd.

»Es ist nicht leicht zu erklären.«

»Was meinst du damit?«

»Sie ist ein eigensinniges Kind, weich und hart zugleich. Ich habe keine Macht über sie.«

»Das willst du auch nicht. Aber warum nicht?«

»Sie ist alles, was ich habe. Es ist schwer, sein eigenes Kind zu Fremdheit und Einsamkeit zu verurteilen.« Die Stimme der Mutter ist angespannt, und das tut dem Mädchen weh.

»Aber du hast es bereits getan«, sagt der Schamane. »Du hast sie bereits zur Fremdheit verurteilt, als du sie unterrichtet hast. Sie ist doch gelehrig?«

»Ja, schlau und tüchtig«. Stolz klingt jetzt die Stimme der Mutter. »Sie bewegt sich ein bisschen in beiden Welten, aber am glücklichsten ist sie in der Gruppe. Oft denke ich, es ist trotz allem die einzige Welt, die es für uns gibt. Wir beide, du und ich, wir sind nur Flüchtlinge, bewegen uns an der Grenze, sind nirgendwo zu Hause. Ich möchte ihr dieses Leben ersparen.«

»Aber du hast den ersten Schritt bereits getan«, wiederholt er. »Es gibt keinen Weg zurück.«

»Doch«, die Stimme der Mutter ist jetzt scharf wie das Messer des Schamanen. »Für sie gibt es einen, daran glaube ich. Sie kann all das vergessen, was sie gelernt hat. Sie kann noch immer ein Kind des weißen Lichts werden.«

»Und jung sterben ...«

»Was soll man mit einem langen Leben, wenn es so einsam ist wie meines.«

Draußen wird es für lange Zeit still. Das Mädchen atmet tief aus, nachdem es das alles gehört hat. Aber dann ertönt erneut die Stimme des Schamanen:

»Das Kind kann bereits zwischen Gut und Böse unterscheiden. Es fühlt sich dir gegenüber schuldig, das habe ich gesehen.«

»Ja«, wieder ist die Stimme der Mutter leise, es tut weh.

»Mit der Schuld wird auch die Fremdheit geboren. Es gibt kein Jetzt für den, der Schuld empfindet, er erinnert sich an das, was geschehen ist und was noch kommen wird.«

Von Neuem herrscht Stille, das Mädchen hört die Mutter seufzen. Dann ertönt wieder ihre Stimme, diesmal trotzig und stark:

»Ich lasse sie bei der Horde zurück und lebe hier bei dir. Noch empfindet sie Schuld allein in Verbindung mit mir. Wenn ich fort bin, ist sie frei.«

»Was wird aus unserem Auftrag? Und aus der Horde? Gott will, dass wir weitermachen.« Jetzt klingt die Stimme des Schamanen bittend.

Aber die Mutter ist unnachgiebig: »Zu mir sagt er nur, ich soll der Stimme des Herzens folgen. Und das Herz will das Mädchen freigeben.«

Etwas später fügt sie hinzu: »Wir haben keine Aufgabe in der Horde. Sie wollen unser Wissen nicht.«

Das Kind, das alles mit angehört hat, ist völlig verwirrt. Es hat nicht alles verstanden, bei weitem nicht. Aber diese beiden Dinge: Auch die Mutter redet mit dem unsichtbaren Gott. Und die Mutter hat vor, sie zu verlassen.

Still weint das Mädchen im Dunkel der Hütte, bis schließlich der Junge mit den hübschen Augen kommt, sich zu ihm setzt, und aus seinen braunen Augen blitzt der Schalk.

Dann zieht das weiße Licht über den Himmel, und das Kind vergisst alles. Nur manchmal taucht ein Gedanke auf: Die Mutter wird sie einsam in der Horde zurücklassen. Und plötzlich findet es das Mädchen ganz in Ordnung, es möchte diesen vorwurfsvollen Augen entgehen.

Die Bilder vom Morgen sind unscharf. Der Schamane hat ein Tier getötet, Blut ist an seinen Händen und an denen des Jungen, eine lange Aneinanderreihung von Wörtern, darunter ›Feuer‹ und ›Rauch‹, die sie nicht versteht.

Jetzt wird das Bild deutlicher. Noch nie zuvor hatte das Kind Feuer gesehen, ist einigermaßen fassungslos, dass es so etwas wie Feuer geben soll, und drückt sich in die Arme der Mutter.

Und weitere Bilder tauchen auf: Sie erinnert sich an eine merkwürdige Stimmung, an eine Schlange in einem Käfig – was haben sie mit ihr vor? Sie sieht einen hohen Baum hinter der Hütte, auf dem Weg zur Ebene. Er trägt glänzendrote Früchte, verbotene Früchte, und die Mutter sagt: »Davon darfst du nicht essen.«

Ein letztes Bild: Sie und die Mutter gehen davon. Die Erwachsenen sind ernst, ja feierlich. Und erneut geben die Augen des Jungen zu verstehen: Ich warte auf dich …

Auf dem Heimweg beginnt es zu regnen.

Kapitel 9

Die Horde begibt sich wieder auf ihre Lichtung. Sie bewegt sich geradewegs auf die Frau in dem Baumwipfel zu und holt sie in die Wirklichkeit zurück. Es ist heißer Mittag, selbst hier oben spürt sie die Hitze. Auch die Horde wirkt heute stumpfer, lässt sich in Gruppen unter den schattigsten Bäumen nieder, um zu schlafen …

Die Frau schaut auf ihre Verwandten dort unten, wie entspannt sie sind und eins mit ihrem Schlaf. Ebenso, als sie aufwachen, selbstvergessen in ihren groben Liebesspielen, ihrem Gezanke und Gelächter. Und wie sie lachen können!

Aber heute ist die Frau nicht in dem Maße beteiligt wie am Tag zuvor, sie beobachtet mehr, als dass sie fühlt. Das Brunftverhalten dort unten berührt sie nicht, das Gelächter dringt zu ihr hinauf, aber nicht in sie ein.

Sie denkt an das kleine Mädchen, das sich einst für die Horde entschieden hatte. Und sie versteht das Kind, hier findet etwas Unbegreifliches statt.

Sie folgt der Horde mit den Blicken, als sie in der Dämmerung aufbricht, bis ihre Augen sich verschleiern. Dort verschwindet das Paradies der Kindheit.

Bei Dunkelheit verlässt die Frau ihr Versteck in dem Baum und geht mit entschlossenem Schritt zurück nach Osten. Es wird ein langer Heimweg, aber etwas gibt es noch, das sie tun möchte, endlich hat sie einen Plan und ein Ziel.

Sie geht zu der Hütte des Schamanen.

Es ist keine leichte Wanderung durch die Dunkelheit, wenn

auch die Nachttiere niemals hier in den hohen Laubwäldern angreifen werden. Aber sie möchte gehen, während es Nacht ist, wenn die Gedanken klar sind.

Innerlich bereitet sie sich auf die Fragen vor, die sie dem alten Regenmacher in der Hütte tief im Wald stellen möchte. Zunächst ganz konkrete Fragen: Wie ist die Mutter gestorben? Gibt es noch jemanden in der Horde, der Worte kennt? Wer hat die Stelle des Jungen eingenommen, als sie beide auf und davongelaufen waren?

Und dann die schwierigeren Fragen: Wie spricht man mit Gott, damit sich alles zum Besten wendet? Der Mann daheim muss es vergessen haben, weil sie über ihren Schmerz nicht hinwegkommen.

Und schließlich: Was hat es mit dem Tod auf sich? Was bedeutet es, wenn ihre Kinder nachts zu ihr kommen und sie trösten: ›Hier ist es so hell, Mutter, es ist so schön hier…‹?

Die Frau wandert durch die Dunkelheit. Die Erinnerungen, die sonst noch übrig waren, hat sie gesammelt; niemals wird sie erfahren, was sich zwischen den Bildern verbirgt, die ihr begegnet sind. Aber die Lücken kann sie ja selbst füllen.

Sie war zur Horde zurückgekehrt, und bei ihrer ersten Monatsblutung hatte sie den lüsternen Anführer über sich, hatte Schmerz und auch Lust dabei empfunden. Sie muss es ohne Mühe geboren haben, das kleine Mädchen, das ihr später wegstarb. Und bei der Trauer, die sie hierbei spürt, nehmen die Bilder wieder Besitz von ihr, ja, jetzt erinnert sie sich, sie braucht die Lücken nicht zu füllen …

Sie erinnert sich, wie die Wörter aus ihrem Mund strömten, nachdem sie das Kind ins Moor geschleudert hatten. Wie die anderen zuerst nur gelacht und dann Angst bekommen hatten, sie geschlagen und mit Steinen beworfen hatten. Wie sie sich nachts davongeschlichen und ihre Wunden an der Quelle auf dem Weg zum Haus des Schamanen gekühlt hatte, so, wie es die Mutter immer tat.

Wie die Horde sie am nächsten Vormittag eingeholt und der Anführer in dem weißen Licht vor ihr gestanden hatte – groß und ungeschlacht, rasend und lüstern. Und als sie die Wörter geschrien hatte, Wörter wie: Du Satansbestie, du Untier …

Woher waren all diese Wörter gekommen? Sie wusste es nicht, weiß es heute noch nicht.

Aber sie hatten ihr geholfen, Angst hatte er bekommen, der geile Bock, war wie vor einem Bannwort zurückgewichen und hatte wütend aufgeheult, als er ihr den Weg freigab.

Und sie lief, lief zum Waldrand – zur Mutter.

Jetzt gehe ich denselben Weg, dachte die Frau und blickte zu den Bäumen entlang des Weges, als könnten die ihre Bilder verstärken, könnten sich an die Flucht des erschrockenen Kindes von damals erinnern.

Die Mutter war in ihrer Hütte gewesen, hatte die Worte sofort verstanden, die aus dem Mund des Mädchens strömten. Was jedoch das Wichtigste gewesen war – die Mutter hatte vor Trauer über das tote Kind geweint. Endlich konnte sie ihren schmerzlichen Verlust mit jemandem teilen, konnte ihn annehmen und sich mit ihm versöhnen.

Es war der Augenblick, als ich den entscheidenden Schritt getan, wo ich mich selbst überwunden hatte, dachte die Frau. Von diesem Augenblick an war ich ein Mensch, so wie die Mutter.

Der Schamane jedoch war unruhig geworden. Würde der Hordenführer das dulden? Würde sein Vorstellungsvermögen groß genug sein, und könnte er den Schluss ziehen, dass sie sich hierher geflüchtet hatte?

Das Mädchen hatte nachgedacht und genickt – vielleicht, ja. Seine Macht über die Horde beruhte nicht allein auf seiner körperlichen Kraft, das Mädchen sah auch seine listigen Augen vor sich, erinnerte sich, wie er das Wetter an den Wolken ablas und mehrere Tage über ein Unrecht brüten konnte, um dann Rache zu nehmen. Dieses Können setzte er fast immer ein, wenn jemand sein Recht, das er sich Frauen gegenüber herausnahm, gekränkt hatte. Das Mädchen dachte jetzt eilig nach – ja, die am Morgen erlittene Schmach reichte aus, in dem klobigen Kopf einen gezielten Plan reifen zu lassen.

»Du musst weg«, hatte der Schamane gesagt.

Wieder hatte sie genickt, ja, auch sie wollte weg. Sie erinnerte sich an die Märchen der Mutter aus der Kindheit, Geschichten über andere Länder. Sie wollte in ein Land, wo Kinder überleben durften.

»Komm mit mir, Mutter.«

Die Mutter war sehr blass gewesen – vor Angst, vor Trauer? Aber sie hatte den Kopf geschüttelt.

»Ich bin zu alt, Kind, ich würde es nicht mehr schaffen.«

Da erst hatte das Kind seine Mutter mit ganz neuen Augen gesehen. Sie ist schmal und alt, die Hände zittern leicht, die Beine sind dünn und kraftlos.

»Ach Mutter, wir hätten schon vor langer Zeit fliehen sollen.«

»Vielleicht, Kind. Jetzt ist es zu spät dafür. Du musst allein losziehen. Geh zum Fluss, überquere ihn. Auf der anderen Seite wirst du die Länder der Menschen finden.«

Eilig hatte die Mutter einen Ranzen hervorgeholt, geschwind Brot, ein paar Früchte und einen Ledersack mit Wasser hineingepackt.

»Etwas zum Anziehen, du brauchst etwas zum Anziehen.«

Irgendwo hatte sie ein Stück hübschen weichen Stoff hervorgeholt, bei dessen Anblick das Mädchen beinahe ihre Trauer vergaß, so etwas Schönes hatte es noch nie gesehen.

Verwundert blieb die erwachsene Frau auf ihrer Wanderung durch die Nacht stehen. Wo hatte sie ihn hergenommen? So eigentümlich schön war er.

Und noch ein Bild: »Sie muss die Äpfel mitnehmen«, hatte die Mutter zu dem Schamanen gesagt.

Er nickt und füllt einen weiteren Lederbeutel mit den verbotenen Früchten. »Iss sie, Mädchen, iss davon, dann behalten deine Gedanken die Klarheit des Morgens.«

Gerade als sie aufbrechen will, geschieht das Wunder. Der Junge mit den braunen Augen – ein erwachsener Mann jetzt – steht plötzlich an ihrer Seite.

»Ich komme mit«, sagt er.

Außerdem erinnert sie sich noch an das flimmernde Bild des verzweifelten Schamanen. Wie er gedroht und gebeten, den Jungen angefleht und beschworen hatte zu bleiben. Wie er ihn schließlich rasend vor Wut verflucht hatte.

»Verflucht sei die Erde um deinetwillen«, hatte er geschrien. »Mit Mühsal sollst du dein Lebtag deine Nahrung beschaffen, Disteln und Dornen sollen deinen Weg säumen.«

Hart und voller Furcht hatte der Junge die Hand des Mädchens festgehalten.

Und der Schamane war mit seinen Verwünschungen fortgefahren, feierlich jetzt und wie bei einem Ritual: »Im Schweiße deines Angesichtes sollst du dein Brot essen, bis du wieder zu Erde geworden bist. Denn aus Staub bist du gemacht und zu Staub sollst du wieder werden.«

Aber als sie beide, der Junge und sie, Hand in Hand auf und davongegangen waren, hatte der Alte geweint.

Wir haben ihm alles zerstört, dachte die Frau in plötzlicher Einsicht. Sein gesamtes Lebenswerk.

Vielleicht hat er ihm nie verziehen.

Vielleicht hat er nie wieder einen Lehrjungen bekommen.

Jetzt verlangsamte sie ihren Schritt, hielt an und atmete tief ein. Irgendwo in ihrem Inneren wusste sie schon, wie es für die beiden Alten in der Hütte geendet hatte.

Sie haben mich erschlagen, hatte gestern das Bild der Mutter gesagt, oder war es vorgestern gewesen? Ihr Zeitgefühl war jetzt nur noch ungenau.

Dann setzte sie ihre Wanderung fort, schöpfte neue Zuversicht: Vielleicht haben sie den Schamanen ja verschont, dachte sie. Sie brauchten doch einen Regenmacher.

In der Morgendämmerung erreichte sie den Ort, weit abgelegen im Gelände, und alles war genau so, wie sie es erwartet hatte: Die Hütte war dem Erdboden gleichgemacht, die Stelle, wo sie gestanden hatte, von Unkraut zugewuchert. Sie setzte sich auf dem niedrigen Hügel, auf dem der Schamane seine Opferungen vorgenommen hatte. Mutter, dachte sie. Aber sie war zu müde, zu viel war alles für sie gewesen, sie war keiner tieferen Gefühle mehr fähig.

Im Gebüsch raschelte es. Ihr war klar, hier gab es zahlreiche Schlangen, natürlich, als die Schlange ihrem Käfig entschlüpft war, konnte sie sich ja hier in den Überresten des Hauses breit machen, genügend Raum zum Leben, um sich zu vermehren.

Und sie erschauderte.

Kapitel 10

Erst als die Sonne hoch am Himmel stand und das unbewegliche Licht die Welt wieder in Besitz genommen hatte, raffte sie sich auf und ging wie im Traum zu dem großen Baum. Ich werde mir ein paar frische Äpfel mitnehmen, dachte sie. Bald sind sie reif, es ist ja schon Spätsommer.

Sie legte die Hände an den Stamm, wie sie es immer tat, die Stirn dazwischen, und erzählte dem Baum von seinen Kindern, den Schößlingen, die sie in einer weit entfernten Welt herangezogen hatte, und dankte dafür.

Als sie den Kopf wieder hob, begegnete sie dem Blick eines Mannes. Er stand hinter dem Stamm und sah sie unverwandt an.

Sie erschrak.

»Wer bist du?«, fragte sie.

»Ich heiße Gabriel«, sagte er und lächelte sie an. Sie hörte den Wind in der riesigen Krone des Baumes rauschen.

»Gib mir deinen Frieden«, sagte sie.

Er nickte und sagte dann: »Warst du es, die das Land verlassen hat, die von der Frucht gegessen und neue Bäume gezogen hat?«

»Ja«, gab sie zur Antwort, »jemand musste es tun.«

Er blickte zu der unbewegten Baumgruppe im Osten und lächelte wieder:

»Du magst Recht haben.«

Sein Tonfall klang tröstend, etwas Weiches schwang mit, aber noch etwas. War es Mitgefühl?

»Hast du auf deine Fragen dort drüben eine Antwort bekommen?« Er deutete mit der Hand zum Waldrand.

»Nein – oder doch. Immerhin weiß ich jetzt, dass es keinen Weg zurück gibt.«

(Sie war selbst erstaunt über ihre Antwort, denn sie hatte bisher nicht gewusst – oder es nicht wissen wollen? –, dass sie die Möglichkeit einer Rückkehr in das Land der Kindheit überhaupt erwogen hatte.)

»Weshalb bist du einst weggegangen?«, fragte er.

»Wegen des Kindes, das gestorben war.« Ihre Antwort kam hastig und ein wenig stotternd.

Er nickte nachdenklich, beinahe verwundert.

»Aber niemand stirbt, der den Tod nicht kennt«, sagte er. »Die dort drüben«, er blickte zum Wald hinüber, »sterben nicht. Nur was einem bewusst geworden ist, geschieht auch.«

»Deine Rede ist zu schwierig für mich«, sagte sie, denn sie verstand nur mit dem Gefühl, jenseits von Worten. Eigentlich wollte sie ausrufen: Mein Kind ist doch gestorben!

»Nein«, gab er zur Antwort, »dieses Kind wusste nichts vom Tod und konnte deshalb gar nicht sterben.«

(Er liest meine Gedanken!)

»Wenn man von ihm weiß, muss man sterben? Es gibt keinen anderen Weg?«

»Du denkst recht praktisch«, sagte er und lächelte wieder. »Du hast viele Mauern gegen deine Angst errichtet.«

»Ja«, gab sie zu. »Und doch war sie immer in mir, die Angst, und hat schließlich zugegriffen. Wenn die Mauern keinen Schutz geben, woher soll sonst Hilfe kommen?«

»Aus der Erkenntnis, dass du unverletzbar bist«, erwiderte er.

(Er spricht unverständlich, es ist unmöglich, ihn zu verstehen.)

Und doch gab es tief in ihr, hinter allen Gedanken, eine Einsicht, ein Wiedererkennen.

»Die Wahrheit ist nicht erlernbar«, sagte er weiter. »Man kann sie nur wieder erkennen.«

Jetzt war es still zwischen ihnen geworden. Trotz des weißen Lichts – oder gerade deshalb – waren ihre Gedanken klar, klarer als jemals zuvor in ihrem Leben.

»Es bedarf also keiner Mauern?«, fragte sie.

»Nein«, sagte er »Lebe und habe Vertrauen, erst dann wird Liebe möglich sein.«

(Irgendwo im Verborgenen meinte sie einen Zusammenhang zu erkennen. Sie hätte den Jungen mit den fremden Augen lieben können, ihn, der seinen Bruder erschlagen hatte ...)

»An dem Tag, an dem du erkennst, dass er ohne Schuld ist, wirst du Frieden finden«, sagte der Mann vor ihr.

(Ohne Schuld? Wessen Schuld war es, meine?)

»Nein«, sagte er. »Gottes Kinder sind ohne Schuld. Aber bis ihr gelernt habt, das zu begreifen, werdet ihr einander sehr wehtun.«

Jetzt war es so hell, dass sie ihn nur mit Mühe sehen konnte. Vielleicht lag es auch nicht nur am Licht, vielleicht lag es an ihren Tränen.

»Willst du noch mehr beantwortet haben?«, fragte er, und die Stimme war voller ... ja, es war Mitgefühl, mehr, als sie ertragen konnte.

»Ich möchte alles herausfinden über die Gedanken und Worte, möchte wissen, was aus meiner Horde und der gesamten Welt dort drüben geworden ist ...«, sie zeigte auf das Land auf der anderen Seite des Flusses. »Wozu nützen einem die Erkenntnis, die mühevolle Arbeit, alle die Pläne?«

Die Worte sprudelten aus ihrem Mund. Erstaunt blickte er sie an.

»Ihr wart es doch, die das alles erfunden haben, ihr müsst es wissen und herausfinden. Ihr müsst euch selbst Klarheit darüber beschaffen.«

Bei aller Enttäuschung – denn es gab offensichtlich keine Antwort – spürte sie, dass sie einen Auftrag bekommen hatte.

Jetzt sah sie ihn zum Abschied die Hand heben, als Dank verbeugte sie sich tief und ernst, dann ging sie, ohne sich umzudrehen, in Richtung des Flusses.

Sie lief wie jemand, der über vielerlei nachzudenken hat, über große Worte, und sie wollte sie sorgfältig in sich aufbewahren.

Eine Stunde war sie nun gewandert, und ihr war klar, dass die Worte, die Fragen und Antworten, ihren Platz in ihr gefunden hatten, genau so, wie sie ausgesprochen worden waren. Nichts würde sie hinzufügen, nichts vergessen – das Gespräch mit Gabriel war bedeutsam, auch für den Mann zu Hause.

Sie wollte sich eine lange Mittagsrast in diesem weißen Licht gönnen und fand ein Wäldchen und eine Quelle, aß ein wenig und löschte ihren Durst. Dann schlief sie.

Und so kam es, dass sie den Fluss erst in der Dämmerung erreichte. Lange stand sie in dem abnehmenden Licht und blickte zum Land der Wirklichkeit dort auf der anderen Seite hinüber. Als sie und der Mann das erste Mal hinüberwechselten, waren sie auf der Flucht gewesen, war es in Eile geschehen. Niemals hatten sie begriffen, was für eine Grenze sie da passierten.

Dieses Mal würde sie das Land auf andere Weise verlassen, sich seiner Bedeutung sehr bewusst. Nie mehr würde sie sich dort richtig zu Hause fühlen, nein, ihr Kindheitsland war nicht mehr ihr Zuhause, und am Ende ihrer Reise würde sie ebenfalls nicht nach Hause kommen, dort, wo der Mann in der Wohnhöhle auf sie wartete.

Wie eine unbestimmte Trauer würde sie ihr Verlangen nach dem weißen Licht in sich tragen. Und doch wissen, dass es nicht länger für sie vorhanden war.

Kapitel 11

Die Nacht wollte sie im alten Baum auf der anderen Seite des Flusses zubringen, um über alles nachzudenken und es in ihrem Kopf zu ordnen. Hier würde sie Klarheit in ihre Gedanken bekommen. Morgen dann wollte sie wieder über den Berg wandern und zu den Ihren zurückkehren, die auf sie warteten.

Sie fand ihr Floß dort, wo sie es versteckt hatte, setzte über den Fluss und genoss erneut das kühle Wasser. Dann ging sie zu dem alten Baum in dem Hain am Ufer, grüßte ihn, wurde willkommen geheißen und bereitete sich ihr Nachtlager in seiner Krone. Auch diesmal vergaß sie zu essen, aber sie konnte sich ja, wenn sie Hunger bekam, ein paar von den Früchten des Baumes nehmen. Ihr Vorrat an Äpfeln war zu Ende gegangen, sie hatte sich neue von dem Baum drüben auf der anderen Seite pflücken wollen, nach dem Gespräch aber hatte sie es vergessen.

Sie biss in eine Frucht und wunderte sich. Schärfer schmeckte sie und bitterer als die gleiche Frucht drüben in den Laubwäldern.

Hier ist alles anders, dachte sie. Aber ich verstehe jetzt mehr als zuvor.

Zur Sicherheit legte sie Feuerstein und Kienspan zurecht, aber heute Nacht würde die Raubkatze nicht kommen. Wichtigeres war zu tun, keine Zeit für das Tier.

Vieles hatte sie herausgefunden, manches konnte sie nun besser verstehen. Sie wusste jetzt, wie es war, als sie das Kindheitsland verlassen hatte, wie fremd sie sich dort gefühlt hatte und warum sie nicht so werden konnte wie die anderen.

Es lag an den Worten, aber nicht nur daran. Der wesentlichste Unterschied zu den anderen war, dass sie ihre Mutter gekannt hatte, dass sie durch ein starkes Band mit einem Menschen verknüpft war – und dies bereits seit frühester Kindheit.

Durch dieses Band war sie Mensch geworden, getrennt vom großen Körper der Gemeinschaft. Das hatte sie einsam gemacht.

Worte waren das Werkzeug, und Gedanken, aus Worten geboren. Aber mehr war es nicht. Alles entscheidend jedoch war das Band und die Liebe zur Mutter gewesen.

Die Mutter hatte geglaubt, würde das Kind nur die Worte vergessen, könnte es in die Gemeinschaft der Horde zurückkehren. Hatte sie nicht begriffen, dass die eigentliche Gefährdung für das Mädchen in dessen Fähigkeit zu lieben bestand? Musste es nicht jemanden lieben, jemanden an sich binden, um zu überleben?

Nur so war die Einsamkeit zu ertragen.

Als sie selbst ein Kind bekommen hatte, war die Liebe zu dem Neugeborenen wie eine ungeheure Kraft gewesen. Und als das Mädchen starb, überwältigten sie Schmerz, Trauer und Schuld – Begleiterscheinungen, die alle mit der Liebe einhergehen.

Und was war mit der Schuld?

Ja, die rasende Wut, die sie spürte, als man das Kind ins Moor geworfen hatte, entsprang der Angst, dem Schuldgefühl, dass sie es nicht vermocht hatte, ihr Kind am Leben zu erhalten.

Was hatte der Schamane gesagt? Wer Schuld empfindet, verliert das Jetzt, er weiß, was geschehen ist, und stellt sich vor, was noch geschehen wird.

Ganz hatte sie es nicht verstanden, sie wusste nur, dass jemand, der nach vorn schaut, die Angst als ständigen Begleiter hat. Mit der Angst verliert man den Glauben an die eigene Kraft, überlegte sie.

Vertrauen – das hatte Gabriel bei dem Baum gesagt.

Wer kein Vertrauen besitzt, hat stattdessen Macht nötig, sinnierte sie weiter. Und für die braucht man Wissen. Schon früh in ihrem Leben hatte sie begriffen, dass die Macht, die die Mutter in der Horde innehatte, auf ihrem Wissen beruhte.

Vielleicht bestand der innerste Kern des Andersseins in eben dieser Macht? Immer schon wollte sie Macht haben, um über sich selbst bestimmen zu können, hatte sie, Eva, Abhängigkeit als Bedrohung empfunden. Auch als sie mit der Horde herumtollte? Nein, damals wohl nicht.

Warum habe ich mich ihr eine Zeit lang angeschlossen? War es wegen der Wollust? Wegen der brunstigen Hitze des Körpers, der Lust an der Unterwerfung?

Unterwerfung?

Die Frau schlug jetzt die Hände vors Gesicht, als könne jemand sehen, wie sie errötete. Es waren ja nur ein paar Jugendjahre gewesen, dachte sie, dann bin ich zu mir selbst zurückgekehrt.

Immer habe ich Abhängigkeit gehasst, ging es ihr durch den Kopf, und sie wusste mit einem Mal, warum sie sich mit dem Gott des Mannes so schwer tat. Die demütigen Gebete dort draußen bei dem Apfelbaum ärgern mich.

Aber in ihrem Innersten hatte sie stets Angst gehabt. Für jemanden, der die Macht in seinen Händen hält und behalten will, der die Zusammenhänge, der Ursache und Wirkung kennt, gibt es ja auch einiges zu befürchten: Feuer konnte sich ausbreiten und Nachtregen die Pflanzen vernichten, die Schafe konnten davonlaufen; da waren die Schlangen im Gras und der See, in dessen Tiefe die Kinder ertrinken konnten. Oh, wie hatte sie sich geängstigt, aufgepasst und ermahnt.

Sie hatte die Kinder beschützt und ihnen die Hindernisse aus dem Weg geräumt: »Du hast viele Mauern gegen deine Angst errichtet ...« Nur dass einer dem anderen Schaden zufügen würde, hatte sie nicht voraussehen können.

Keiner hätte es gekonnt, das wusste sie. Kein Mensch vermochte eine so starke Mauer zu bauen, die das Unvorhergesehene nicht durchbrechen könnte, nein, es ist unmöglich.

Was hatte sie durch die Errichtung der Mauern verloren?

Das Jetzt. Gerade in diesem Augenblick rinnt das Leben durch die Finger dessen, der die Macht in seinen Händen zu halten versucht.

Das ureigenste Erbe der Horde hatte sie veruntreut.

Nicht einmal, als die Kinder klein waren, hatte sie sich Zeit genommen, ganz im Augenblick zu leben. Wann hatte sie mit den Jungen gespielt? Niemals. ›Später, Kinder, die Mutter hat keine Zeit.‹ Aber bis zu einem Später war es nie gekommen, sie hatte ja für so vieles sorgen müssen.

Jetzt weinte sie. Und inmitten ihrer Tränen fiel ihr ein: Selbst wenn der Junge noch am Leben wäre, es wäre auch nicht anders gewesen. Er war erwachsen, als er starb, ein Mann, der sie verlegen zurückgewiesen hätte.

Ich hatte ihn bereits verloren. Obwohl ich ihn so sehr liebte.

Die Angst hat mich vorangetrieben, dachte sie weiter. Alles, was ich in meinem Leben getan habe, ist aus Angst geschehen. Ich muss sie mit dem Verstand besiegen und Klarheit haben werde ich erst, wenn ich das Leben Stück für Stück auseinander nehme, Wichtiges von Unwichtigem trenne, wenn ich achtsam bin.

Angstvoll wie ich war, habe ich das Gefühl für die Ganzheit und den Zusammenhang verloren.

Das gilt auch für den Mann. Er ist mir noch geblieben, er, der mich einmal gewählt und auf die Macht verzichtet hatte, die ein Schamane besitzt. Was hat er dafür bekommen? Kurze Liebesnächte mit einer Frau, die fast immer an den kommenden Tag dachte, abgearbeitet, ohne Zutrauen. Ohne Vertrauen.

Sie konnte sich selbst hören, wie sie ihn jahrelang kontrolliert hatte: Hast du es auch gemacht? Du hast es doch nicht vergessen … ?

Die Tränen rannen der Frau über die Wangen, sie bat mit gefalteten Händen: »Hilf mir, lieber Gabriel, ein Mensch mit Vertrauen zu werden, damit der Mann Zutrauen zu sich selbst bekommt.«

Das Gebet hatte sie beruhigt, und sie schlief ein; es war ein leichter Schlummer oben in der Krone des alten Baumes.

Kapitel 12

Sie wachte auf vom Regen, einem gleichmäßig strömenden Regen. So weit ihr Auge reichte, war der Himmel grau, kein Zweifel, es würde den ganzen Tag regnen, sagte sie sich.

Der Baum gab nicht viel Schutz, und sie merkte, wie ihr der Regen in kleinen Bächen den Hals entlang über Brust und Rücken lief. Was sollte sie tun?

Man kann nicht mehr als nass werden, fand sie. Bleibe ich hier oben sitzen, wird mir zudem noch kalt, besser ich bewege mich und laufe. Sie nahm ein durchweichtes und spärliches Frühstück dort oben in dem Baum ein, ein letztes Stück Dörrfleisch, aber der Rest Weißwurzeln war trocken und ungenießbar. Ich muss einen Umweg zu dem Hain machen, dort gibt es frische, dachte sie. Sonst muss ich mit leerem Magen auf den Berg klettern.

Sie stieg vom Baum herunter und machte sich zu dem Berg auf, der weit drüben im Westen wie ein Wolkenturm aufragte. Es war eine beschwerliche Wanderung, und nach einiger Zeit merkte sie, dass sie nicht nur vollkommen durchnässt war, auch die Kleider hingen schwer an ihrem Körper, und bis in den Magen hinein fror sie von der triefenden Nässe.

Zudem blies ein heftiger Gegenwind. Der Regen peitschte ihr ins Gesicht, während sie die Decke um Kopf und Schultern festzuhalten versuchte. Am schlimmsten war es für die Füße, das sumpfige Gras war glitschig von der Nässe. Sie glitt aus, sank in den Morast, und es schmatzte unter ihr.

Bei allem Kampf mit dem Wetter war es ein kleiner Trost, dass sie Anstrengungen liebte, sie kämpfte gern. Vielleicht weil dann die Gedanken aus dem Kopf verschwinden, überlegte sie und reckte ihre fein gebogene Nase in den Wind.

Sie kam nur langsam voran und wurde müde. Nach ein paar Stunden hielt sie an. Weit bin ich noch nicht gekommen, musste sie zugeben. Sie schätzte die Entfernung zu dem Baum am Fluss. Noch immer war er nah, der Berg dagegen schien genauso weit weg zu sein wie zu Beginn ihrer Wanderung am Morgen.

Verdammt, es wird doch wohl nicht schief gehen?

Angst hatte sie eigentlich nicht, denn seltsamerweise war sie weniger ängstlich, wenn sich der Feind zeigte und greifbar war.

Und dieser Regen hier war in der Tat zum Greifen, es sah auch nicht danach aus, als würde er so schnell nachlassen.

Einmal fiel sie hin und schlug mit Gesicht und Händen auf. Es tat nicht weh, der Lehmboden war weich. Ich muss wundervoll aussehen, dachte sie, wischte den Schmutz vom Gesicht und setzte ihren Weg fort. Kein Zweifel, sie war jetzt müde, sehr müde. Am schlimmsten für sie wäre, wenn die Kräfte sie vollends verließen, sie musste behutsam mit der restlichen Kraft umgehen.

In einiger Entfernung tauchte vor ihr in all dem Grau ein Wäldchen auf. Bis dorthin musste sie es schaffen, dann könnte sie sich unter den Bäumen ausruhen. Etwas Schutz würden sie wohl geben.

Eine Rast wäre jetzt das Richtige. Wenn möglich würde sie ein Feuer anzünden, sich daran trocknen und wärmen. Aber nein, Flintstein und Span im Ranzen waren sicher nass wie alles andere.

Sie erreichte das Wäldchen, legte sich in den Windschatten unter einen dicht belaubten Baum, ruhte eine Weile aus und steigerte sich in Zorn hinein: Zum Teufel, musste das Unglück gerade jetzt passieren, wo sie allmählich den Zweck der Reise aufzuspüren begann und die Heimkehr einen tieferen Sinn bekommen hatte? War sie doch heute Nacht zu einer wichtigen, einer neuen Erkenntnis gelangt.

Und wenn sie nun hier bliebe? Aber nein, unmöglich. Sie merkte bereits, wie die Kälte ihre Glieder lähmte. Gäbe sie der Müdigkeit nach, würde der Schlaf sie übermannen, die Nacht würde hereinbrechen, und sie wäre ohne Feuer und Schutz gegen die wilden Tiere. Sie musste weiter.

Mühsam kam sie auf die Beine, schüttelte das Wasser aus ihren Kleidern wie ein Hund und sah zum Berg hinüber. Himmel, wie weit war es noch bis dort.

Da bemerkte sie auf einmal Rauch, den deutlichen Geruch von Rauch. Woher kam er, wer entfachte hier draußen im Regen und in der Einsamkeit ein Feuer? Die Frau wandte den Blick nach Nordosten, hinauf zur Hochebene, woher der Geruch kam.

Zelt an Zelt, große Viehherden, Pferde! Sie sah zwar keine Einzelheiten, aber das Bild löste Erleichterung und Freude in ihr aus. Das Hirtenvolk – jenes merkwürdige Volk, von dem sie einstmals das Feuer bekommen hatte – lagerte auf der Hochebene im Nordosten. Schaffte sie es wenigstens bis dorthin, wäre sie gerettet.

Sie stolperte weiter, doch ihre Schritte waren nun voller Hoffnung. Sich zu orientieren war einfach, sie musste nur dem Rauch folgen. Außerdem brachte ihr die neu eingeschlagene Richtung Südwind, mit ihm kam sie leichter voran als bei dem Gegenwind, der ihr direkt in die Augen blies.

Wie sie letztendlich an ihr Ziel gekommen war, wusste sie nicht, aber plötzlich schlugen die Hunde an. Erst war es ein Mann, dann kamen mehrere Männer auf sie zugelaufen, hoben sie hoch und trugen sie zum Frauenzelt in der Mitte des Lagers.

Was war es, woran sie sich noch erinnerte? Erstaunte, dunkle Frauenaugen, die sie anstarrten, glitzernder Schmuck, der im Feuerschein funkelte, und knappe Männerworte wie: »Das ist doch Adams Frau. Es muss ihr etwas passiert sein. Sorgt für Wärme, gebt ihr trockene Kleider und warmes Essen!«

Ich sehe bestimmt schrecklich aus, dachte sie. Aber was machte das schon. Denn weiche Frauenstimmen redeten beruhigend auf sie ein wie zu einem Kind, weiche Frauenhände zogen ihr die nassen Kleider aus, säuberten sie mit warmem Wasser von Schmutz und Lehm, massierten ihre schmerzenden Beine, die verspannten Muskeln an Schultern und Nacken und trösteten sie.

Als Nächstes bekam sie eine große Schale mit heißer Suppe und Fleisch, dann ein Bett. Gedämpfte Stimmen hüllten sie ein, schließlich der barmherzige Schlaf.

Gegen Nachmittag wachte sie langsam auf. Noch immer brannte das Feuer, der Regen klatschte gegen das Zelttuch, die Frauen um sie herum unterhielten sich flüsternd, bedeuteten den Kindern, still zu sein. Eine alte Frau mit leuchtenden, dunklen Augen und schweren Goldringen in den Ohren kam zu ihr, zeigte ein breites Lächeln, und als sie sah, dass der Gast aufgewacht war, sagte sie: »Ich bin Anja und ich weiß, dass du Eva bist, die Frau oben vom Berg.«

Eva nickte und lächelte. Ob sie Tee wollte? Gleich würden auch die anderen Frauen hier sein und sie kämmen, ihr das Haar richten, das vom Regen ganz zerzaust war. Heißer Tee mit Milch und Honig wurde ihr vorgesetzt, es schmeckte wundervoll.

Dann lieh man ihr Kleider – Leibwäsche, eine Kittelbluse, einen Rock mit eingewebtem Muster, flammende Blumen in Rosa und Rot um den Bund. So unglaublich schön hatte sie noch nie ausgesehen.

»So etwas Verrücktes«, sagte Anja, »bei Regen und Sturm draußen herumzulaufen. Das hätte schlimm ausgehen können.« Der Mann, der sie am Vormittag hereingetragen hatte, zeigte sich kurz und fragte, ob sie mit einer dringenden Nachricht zu ihnen gekommen wäre, da sie sich bei solchem Wetter auf den Weg gemacht habe.

»Nein«, antwortete Eva. Nicht sie seien der Grund gewesen. Sie habe eine Reise gemacht und sei auf dem Heimweg zu dem Berg von dem Unwetter überrascht worden.

Er sah sie nachdenklich an. Auch seine Augen waren dunkel und blitzten. Ich bin eine Erklärung schuldig, dachte sie. Wie soll ich mich verhalten?

»Ich danke dir für die Feuersteine, die du mir damals geschenkt hast«, sagte sie, um Zeit zu gewinnen. »Sie haben mir einmal nachts am Fluss das Leben gerettet.« Und dann erzählte sie die Geschichte von der Wildkatze, die um den Baum geschlichen war. Er lachte, konnte aber sein Erstaunen nicht verbergen: Warum macht eine Frau so eine Reise allein?

»Ich werde dir alles erzählen«, sagte sie. »Heute Abend, wenn die Kinder eingeschlafen sind, werde ich euch alles genau berichten.«

Sie sah die Erleichterung in seinem Gesicht, als er sich höflich mit den Worten verabschiedete:

»Du bist unser Gast und schuldest uns keine Erklärung.«

Aber ihr Entschluss war bereits gefasst. Es würde schön sein, all die Erfahrungen der letzten Tage mit ihnen zu teilen.

»Wir sehen uns am Abend«, sagte er noch und verließ das Frauenzelt.

Jetzt umdrängten die Frauen sie voller Neugierde. War sie wirklich Eva, die Frau, die Gemüse und Getreide anbaute, genug, dass man für den ganzen Winter etwas zu essen hatte? Die verstand, Wunden zu heilen und Gift zu entfernen bei jemandem, der von einer Schlange gebissen worden war?

Sie wunderte sich, hatte nichts von ihrem Ruf als Pflanzenkundige und Wundertäterin gewusst und merkte nun, wie gut es ihr tat.

Ich bin also jemand, bin Eva, die Bedeutsame, dachte sie stolz, ganz anders als jene, die sich eine Nacht auf dem Baum mit Selbstzweifeln gequält hatte. Deutlich erinnerte sie sich jetzt an den Mann mit dem Schlangenbiss. Er und seine Männer hatten vor langer Zeit in einer Sturmnacht ihre Höhle aufgesucht, man hatte ihn hereingetragen, stark mitgenommen von dem Gift in der

Wunde. Sie hatte ihm das Beinkleid ausgezogen, die Schlangenwunde mit dem schärfsten Messer im Haus aufgeschnitten und an ihr gesogen. Dann hatte sie Blut und Gift herausgepresst, die Wunde in heißem Opiumwasser gebadet und schließlich gekochte Rinde des Maulbeerfeigenbaumes aufgelegt.

Anschließend hatte sie Nesseln klein gehackt und sie zu einem Brei zerkocht, den sie auf seine Schläfen, auf Fuß- und Handgelenke strich. Er hatte unruhig geschlafen, war dann erschöpft, aber gesund aufgewacht. Damals hatte sie die Flintsteine bekommen.

Die Männer waren einige Tage geblieben, bis die Wunde verheilt war, und hatten sich ihre Pflanzungen angesehen und sie bewundert.

Deshalb also hatte sich hier an den Feuerstellen in den großen Zelten die Geschichte über sie verbreitet.

Seltsam, sie haben ein eigenes Zelt für Frauen, dachte Eva.

Hier bereite man nicht die Mahlzeiten zu, erklärte ihr Anja, dafür gäbe es ein anderes Zelt. Sie sprach mit lauter Stimme und stand aufrecht vor ihr, solange sie und die Frauen unter sich waren, aber sobald ein Mann ins Zelt kam, wurde sie leise und beinahe demütig. Eva blickte von einem Gesicht zum anderen, junge, mittelalte, alte Frauen – alle waren sie hübsch, fand sie. Und Kinder in jedem Alter liefen herum.

Die meisten von ihnen waren Mädchen.

»Die Jungen werden, wenn sie größer sind, in das Männerzelt hinübergebracht«, sagte Anja.

»Warum?«

»Sie lernen zu reiten, außerdem sollen sie sich nicht verlieben«, erklärte ihr Anja.

»Einen Sohn zu gebären ist für die Frau eine große Ehre«, fügte sie noch hinzu, und Schmerz schwang in ihrer Stimme mit.

»Du hast zwei, habe ich gehört.«

Evas Blick verdunkelte sich: »Nein, jetzt nur noch einen«, sagte sie. »Der andere ist tot. Er ist durch ein Unglück umgekommen.«

Die Frauen, die um sie herumsaßen, schluchzten, einige weinten, und bald wurde Eva von allen bedauert: Wie schrecklich, und wie schwer für sie und ihren Mann!

Auch sie weinte, und es tat ihr gut. Die Stimmung war beinahe so feierlich wie damals, als sie die Trauer um das tote kleine Mädchen mit ihrer Mutter hatte teilen können.

Die Frauen kämmten sie, streichelten ihre Wangen, keine bedrängte sie mit weiteren Fragen, und dafür war sie dankbar. Sie, die auch ein Kind verloren haben, verstehen mich auch so, dachte Eva. Vielleicht haben sie ebenfalls gesehen, wie ein Knabe einen anderen erschlagen hat, vielleicht war ihr eigenes Schicksal gar nicht so grundverschieden von dem der anderen.

Aber danach zu fragen wagte sie nicht.

Die Gespräche unter den Frauen plätscherten weiter, sie drehten sich hauptsächlich um Kummer, Leid und Krankheit.

Wie man das eine oder andere behandelte, wurde Eva gefragt, da sie doch heilkundig war. Und sie versuchte zu erklären: Breitwegerich für die Wunden, Eukalyptus gegen Schnupfen …

Aber sie kannten die Bäume und Kräuter nicht, wussten auch nichts von Vorratshaltung. Ich muss wiederkommen, dachte sie bei sich, werde mit ihnen über die Wiesen gehen, muss sie die Kräuter lehren, wie es die Mutter mit mir gemacht hat.

Jemand erzählte von einem kleinen Mädchen, das schon seit langer Zeit fürchterlich gehustet hatte und dessen Mutter den Mann anflehte, das Kind zu ihr, Eva, auf den Berg zu bringen. Sie waren hinaufgeklettert, aber auf halbem Weg war das Mädchen gestorben.

Jetzt weinte Eva wieder: Hätte sie es doch nur gewusst, sie hätte das Kind vielleicht retten können. Und wieder versprach sie den Frauen, mit Heilkräutern zu ihnen zurückzukommen.

Einmal sagte sie: »Ich hätte so gern ein Mädchen. Eine Kleine, die heranwachsen würde und mit der ich alles teilen, mit der ich plaudern und die alltäglichen Dinge gemeinsam tun könnte. Und alles, alles würde ich ihr beibringen.«

Die Frauen nickten, ja, das konnten sie gut verstehen.

Aber noch sei es ja nicht zu spät. Eine Frau wie sie wüsste sicher, wie man es anstellte, ein Mädchen zu bekommen. Und einen Sohn dazu – für den, der gestorben war.

Das klang großartig, niemals wäre sie darauf gekommen.

Wenn das möglich wäre, noch einmal ein Kind, oder sogar mehrere, zu bekommen, jetzt, wo sie gelernt hatte, ganz im Augenblick zu leben!

Wenn ich noch einmal ein Kind bekäme, wären die Erkenntnisse dieser Reise nicht umsonst gewesen, dachte sie.

Kapitel 13

Allmählich mussten die Frauen aufbrechen, sie wollten melken und kochen. Eva könne noch etwas ausruhen, bis man sie zum Essen abhole. Ein Festmahl solle es werden, der Gast werde zwischen den Männern sitzen.

Nur Anja blieb mit zwei Säuglingen bei ihr. Sie quengelten, und die alte Frau wiegte sie zur Ruhe; sie lagen in einem schaukelnden Lederbeutel, der an den Zeltstangen befestigt war.

Anja sang ihnen etwas vor, und Eva lauschte andächtig. Weich und schön kamen die Töne aus dem Mund der Frau, wurden zu Bildern vom Gras, über das der Abendwind streicht, von Blumen, die müde ihre Augen schließen, von blauer Abenddämmerung. Bald schliefen die Kinder und Anja lachte über Evas Erstaunen.

»Wie schön, es klang so eigenartig.«

»Hat dir der Gesang gefallen, Mädchen? Ja, ich habe noch immer Stimme und Melodie.« Sie war stolz, das merkte man ihr an. Eva verstand nicht, was sie mit ›Melodie‹ meinte, sie hatte noch nie etwas davon gehört. Dieses Malen mit den Lauten hat also einen Namen?, dachte sie. Aber sie wollte sich nicht bloßstellen und unterließ die Frage.

»Du hast deinen Kindern sicher auch vorgesungen, als sie klein waren«, sagte Anja.

»Nein, ich kann nicht singen. Und ich hatte nie Zeit.«

War da nicht eine Spur von mitfühlender Kritik in Anjas Blick? Vielleicht, verdient habe ich es, dachte Eva. Und die alte Frau fuhr fort:

»Ich verstehe schon, ihr musstet euch sicherlich abmühen, um dort oben auf dem Berg zu überleben.«

Eva nickte: »Ja, das stimmt. Es war eine schlimme Plackerei und wenig Zeit für Lachen und Weinen, für Spiel und Märchenerzählen.« Nun, da waren die Lügengeschichten der Männer abends beim Essen, aber hatte sie denn daran teilgenommen?

Hatte sie die Erzählabende überhaupt zu schätzen gewusst? Mit einem Mal erinnerte sie sich an die Jungenstimmen: »Mehr, Vater, noch eine Geschichte …«

Nun wünschte sich Eva nach Hause. Am liebsten würde sie dem Mann gleich jetzt sagen, wie sehr sie sich ändern wollte. Aber noch immer klatschte der Regen gegen das schwere Zelttuch.

»Kannst du mir das mit dieser … Melodie beibringen?«, fragte sie eifrig.

»Du meinst Singen«, lachte Anja. »Gewiss, hör einfach zu und mach mit.«

Da war wieder diese Melodie, die alte Frau sang vor und zeigte mit den Händen die Töne an, höher, immer höher. Eva begleitete sie so gut es mit der ungeübten Stimme ging, hoch, tief, wieder tief, etwas höher und wieder tief …

»Die Melodie kennst du jetzt, aber die Stimme ist zu hart«, sagte Anja. »Versuch es noch einmal, weicher.«

Eva dachte daran, wie sie mit der Greisin dort in dem Urwald gesprochen hatte, weich wie Wollgras war ihre Stimme geworden, und wie die Alte für einen Moment erschrocken weglaufen wollte. Sie versuchte es von vorn, Anja nickte – ja, jetzt war es schon besser, gut so. Sie hatten beide großen Spaß dabei, die Stimmen stiegen auf und fielen ab, hin und wieder unterbrochen von ihrem Gelächter, wenn Eva den Ton nicht traf.

»Man kann auch Wörter dazu singen, dann ist es einfacher«, sagte Anja.

Eva staunte, mit Worten ging es auch?

Da sang Anja ihr ein langes Lied vor. Es handelte von einem

Mann, der eines Abends aus dem Lager davonritt, direkt auf den Mond zu, um die Mondgöttin in sein Zelt heimzuholen. Seltsam war das, eine Sage, und mit jedem Ton wurde sie schöner. Als der Mann vom Pferd fiel und mausetot auf der Erde lag, weinte Eva.

Und Anja lachte über sie.

Nun kamen die Frauen zurück und baten zu Tisch. Schnell liefen sie durch den Regen zu dem Zelt, wo die Tische aufgestellt waren, und es dampfte aus den Töpfen, die auf der Feuerstelle in der Mitte des Zeltes standen. Hier hielten sich also die Kinder und Frauen auf, dachte Eva. Sie trugen das Essen auf und aßen hier und da ein bisschen mit.

Die Männer – es waren insgesamt sechs – saßen am Langtisch, aßen schweigend, etwas verschämt durch Evas Anwesenheit, sie hatte Verständnis dafür. Sie selbst saß an der kurzen Seite, dem Ältesten am nächsten, dem Mann mit dem Schlangengift, den sie einst gerettet hatte. Es gab reichlich Fleisch, und es schmeckte herrlich. Sie bekam einen Becher in die Hand gedrückt, worin ein dunkles Getränk funkelte, und sie kostete vorsichtig davon. Es schmeckte süß und stark. Als es im Magen ankam, fühlte sie das Herz merkwürdig leicht werden, die Schwere fiel von ihr ab und mit ihr der Ernst und die Selbstvorwürfe.

Sie nahm noch einen Schluck, jetzt begann es im Kopf ein wenig zu summen, aber der Rücken richtete sich auf und ein Lachen sammelte sich in der Kehle, wollte nach draußen. Der Mann sah sie etwas verwundert an, dann war auch er kurz davor loszulachen.

»Trink langsam«, sagte er, »es ist stark.«

In diesem Augenblick erinnerte sie sich an seinen Namen, er hieß Emer.

Nachdem das Essen beendet war, waren auch die Kinder eingeschlafen und wurden in das Frauenzelt hinübergetragen. Die Erwachsenen setzten sich nun um das Feuer, die Frauen für sich, die

Männer auf die andere Seite. Eva wählte den Platz zwischen ihnen, damit sie alle Gesichter sehen konnte, wenn sie berichtete.

Sie begann mit dem Tod des Jungen, erwähnte aber nicht den Brudermord. Dann erzählte sie von ihrer Absicht, in ihrer großen Trauer zu den Laubwäldern auf der anderen Seite des Flusses zu wandern, um Antwort auf einige Fragen zu bekommen.

Prüfend schaute sie sich um, hatte sie die richtigen Worte gewählt, wie wurden sie aufgenommen? Emer sagte mit einem Nicken:

»Ich verstehe, du wolltest den alten Schamanen aufsuchen. Aber du hast nicht gewusst, dass er tot ist.«

»Ihr habt ihn gekannt?« Eva versuchte, so ruhig wie möglich zu klingen.

»Ja, er war der beste Regenmacher. Auch wir haben ihn manchmal aufgesucht, wenn die Trockenheit zu schlimm war. Einmal, als ich jung war, habe ich ihn eine ganze Woche lang besucht. Ich kehrte heim mit dem Regen, wie gewünscht. Er war ein bedeutender Mann, aber er missbilligte unsere vielen Götter.«

»Ihr habt viele Götter?«

Emer schüttelte den Kopf, das hier war eine Sache für sich, und über Götter sollte man mit Frauen nicht sprechen, auch nicht mit dieser besonderen Frau.

»Wie ist er gestorben?« Sie musste es fragen, obwohl sie es bereits wusste.

»Wir fanden ihre Körper eines Tages im späten Frühling, als wir den Fluss überquerten, um Regen zu erbitten«, sagte Emer. »Das verdammte Waldvolk hatte sie erschlagen – ihn und eine Frau, eine Nachfahrin der Königstochter.«

»Königstochter«, ihre Stimme zitterte jetzt, aber sie versuchte, es vor den anderen zu verbergen.

»Ja, wir haben selbst gestaunt, hatten eigentlich gedacht, es sei ein altes Lügenmärchen. Es hieß, die Königstochter aus dem Nordreich habe von dem Flussgott den Auftrag bekommen, nach

Osten zu gehen, nach Eden, dort würde sie ein Paradies und ein auserwähltes Volk finden, das keine Worte besaß und daher auch nicht das Gesetz kannte. Sie hatte einen Schamanenlehrling aus dem Nordreich bei sich. Eines Nachts schwammen sie bei Mondschein über den Fluss, und danach hat keiner je wieder etwas von ihnen gehört.

»Ein auserwähltes Volk?«

»Der Sage nach hieß es, das Volk besäße die Gabe der Zeitlosigkeit. Es ist nur eine Geschichte, aber die Königstochter hatte wohl an sie geglaubt. Sie wollte das Waldvolk die Worte lehren, eine wahnwitzige Idee. Was sollte dieses verrückte Volk mit Worten?«

Noch immer ist Emers Stimme aufgebracht bei der Erinnerung an den Fund in der Hütte des Schamanen.

»Woher wusstest du, dass die Frau, die du gefunden hast, die Nachfahrin der Königstochter war?«, fragt Eva und kann dabei kaum atmen.

Emer sieht sie lange an.

»Ja, das war merkwürdig«, sagte er dann. »Aber einmal, als ich noch sehr jung war, durfte ich meinen Vater zur Königsburg im Nordreich begleiten. Wir wollten Tiere gegen Gold eintauschen, denn Gold hatten wir reichlich aus dem Erbe unserer Vorfahren, aber unsere Tiere waren von dem Gott der Ebene verflucht worden, und die Lämmer starben in den Leibern der Mutterschafe. Wir brauchten neue Schafböcke für die Zucht. Alles ging gut auf der Reise, wir tauschten Armreifen gegen zwei prächtige Böcke. Der Handel wurde mit der Königin selbst abgeschlossen. Sie war schön und hatte eine ganz besondere Nase, fein gebogen wie ein Falkenschnabel.

Die tote alte Frau in der Hütte des Schamanen hatte die gleiche Nase«, fügte er noch hinzu und schaute Eva genau an. »Du verstehst unser Erstaunen. Wir hoben Gräber aus und legten die beiden Körper hinein.«

Eva befühlte nun ihre Nase, ihr Herz schlug aufgeregt, der Schweiß lief ihr über die Stirn. Emer starrte sie noch immer an. Tiefe Stille breitete sich im Zelt aus, man konnte jeden einzelnen Regentropfen auf dem Zeltdach hören.

Nach einer Pause sagte Emer weiter:

»Du sollst wissen, dass mich diese Nase schon einmal in Staunen versetzt hat. Sie war mir bei der Frau aufgefallen, die den Ackerbau oben bei der Höhle auf dem Berg betreibt, als ich wegen des Schlangenbisses eines Abends zu ihr kam. Eine Frau mit besonderen Fähigkeiten«, sagte er und lächelte.

Es war ein freundliches Lächeln, aber auch die Neugierde war nicht zu überhören, als er fortfuhr: »Jetzt habe ich die meiste Zeit geredet, dabei solltest du doch berichten.«

Eva hatte atemlos zugehört. Nun kehrte der Atem zurück und sie sagte: »Ich danke dir, von all dem habe ich nichts gewusst.«

Als Erstes erzählte sie von der Flucht, wollte den gesamten Hintergrund dafür erklären, damit man sie recht verstand.

»Ihr müsst wissen, wir beide, der Mann und ich, erinnern uns eigentlich an nichts mehr bis zu dem Morgen, an dem wir über den Fluss geschwommen und dem weißen Licht entkommen sind. Für uns war das der erste wirkliche Tag.«

Wieder diese Verwunderung um sie herum, vor allem die Frauen sahen sie mit großen Augen an: Keine Kindheit, keine genaue Herkunft – Vater und Mutter –, keine Stammesbräuche, wie war das möglich?

Aber einer von Emers Männern sagte: »Ich glaube, ich verstehe dich, auch ich war einmal dort unter den hohen Bäumen und habe erlebt, wie alle Gedanken verschwanden. Ich musste kämpfen, um mich überhaupt an meinen Auftrag zu erinnern.«

Eva sagte erfreut: »Dann ahnst du, wie es um den steht, der dort geboren ist und nicht dagegen ankämpfen kann. So ist es Adam und mir ergangen, wir hatten keine Erinnerung mehr. Er hatte sich für die Kinder immer Geschichten aus dem Kindheitsland ausgedacht, aber als ich schließlich dort war, stimmten sie einfach nicht. Nichts davon stimmte.

Jetzt weiß ich, dass es ein großes Land ist. Aber mein Mann erinnert sich noch immer an nichts. Wir glaubten, wir hätten die Worte erfunden, müsst ihr wissen«, fügte sie hinzu und erzählte von den Pflanzen, die ihr stets das Geheimnis ihres Namens und ihre Verwendung anvertraut hatten.

»Wir hatten immer geglaubt, dass es so war«, sagte sie und war jetzt selbst erstaunt. »Ich hatte die Mutter vergessen und er den Schamanen.«

»War er der Lehrling des Schamanen?«, fragte Emer gespannt. Eva nickte.

Aber jetzt griff Anja ein: »Warum wolltest du dorthin, nachdem der Junge gestorben war?«

Es war eine direkte, praktische Frage. Emer sah missbilligend drein, aber Eva nickte langsam und nachdenklich.

»Ich bin nicht sicher, ob ich darauf überhaupt eine Antwort habe«, sagte sie zu Anja gewandt. »Auf der einen Seite glaubten wir, mit dem Leben dort oben auf dem Berg den Tod besiegt zu haben. Als uns das Unglück traf und ich nichts mehr verstand, dachte ich bei mir, die Antwort vielleicht in dem vergessenen Kindheitsland zu finden. Ich musste dorthin, um das alles zu verstehen.«

»Und dein Mann?«, Anjas Stimme klang noch immer auffordernd.

»Er glaubte, er habe sich gegen Gott versündigt, Gott strafe ihn durch den Tod des Jungen. Ich glaube, auch er hoffte, durch meine Reise eine Antwort zu bekommen.«

»Und hast du sie bekommen?« Anjas Stimme war jetzt sanft.

»Ich weiß es noch nicht. Aber jetzt will ich endlich von der Reise erzählen.«

Und sie berichtete. Bild für Bild wurde mit Worten gemalt. Wie sie sich bei dem Waldvolk zu Hause gefühlt hatte, wie die Erinnerung an ihr totes Mädchen zurückkehrte, die Kinder in ihren Träumen wieder auftauchten, sie erzählte von der Erinnerung an ihre Mutter, die gemeinsamen Ausflüge. Auch von der Horde, dem großen Körper, der von dem Anführer beherrscht wurde. Als sie zu den Liebesszenen kam, errötete sie und deutete sie nur an.

Emer sah zornig aus, entrüstet rief er:

»Diese verdammten Wilden! Ohne Würde, ohne Stammesbewusstsein und Moral. Mein Vater kannte einmal einen Mann, der ein paar von ihnen gefangen genommen hat und sie hier draußen auf der Ebene arbeiten ließ. Aber sie taugten zu nichts und sind bald gestorben ...«

Eva sah ihn trotzig an:

»Meine Mutter nannte sie die Kinder des Lichts. Sie besitzen etwas, das uns mit den Worten und den Regeln verloren gegangen ist.«

Emers Blick war zweifelnd, missbilligend. Aber die Höflichkeit verbot ihm, dem Gast zu widersprechen.

Eva fuhr in ihrer Erzählung fort. Nur zwei Dinge ließ sie aus – den Baum der Erkenntnis und die Begegnung mit Gabriel. Das ist nichts für diese Menschen hier und ihre vielen Götter, dachte sie. Das ist nur etwas für den Mann und mich.

»Gestern Abend dann bin ich über den Fluss zurückgeschwommen«, beendete sie ihren Bericht. »Ich habe in einem Baum auf dieser Seite hier geschlafen und bin von dem Regen aufgewacht. Den Rest kennt ihr.«

Emer dankte ihr feierlich. Verwundert bemerkte Eva, dass etwas in seinem Verhalten verändert war. Es muss an der Königsnase liegen, dachte sie – er verbeugt sich vor dem königlichen Blut. Wie dumm von ihm, er muss doch begriffen haben, dass ich ebenfalls von diesem verachteten Waldvolk abstamme.

Dann sah sie ein: Dies hier ist ein ungelöstes Rätsel. Die Königstochter hatte also einen Schamanenlehrling bei sich. Ein Schamane? Nein, Eva spürte ihren Puls schlagen, noch strömte das Blut des freien Volkes in ihren Adern, es gab ihr Kraft und bekräftigte den Pakt mit den Mächten.

Ein junger Mann trat aus dem Kreis und setzte sich zu Evas Füßen. In seinen Händen hatte er einen merkwürdigen Gegenstand, dreieckig und straff bespannt mit dünnen Saiten.

»Es gibt ein Lied, es erzählt von einer Königstochter, die sich zu dem Waldvolk begab«, sagte er. »Willst du es hören?«

Er begann zu singen, auf dem Herd sank das Feuer allmählich in sich zusammen. Eigenartig, auch der Gegenstand in den Händen des Mannes sang, so schön, dass Eva anfangs Mühe hatte, die Worte zu erfassen.

Aber allmählich drangen sie in sie ein. Bild für Bild begegnete sie dem hübschen Mädchen, das der Flussgott auserwählt hatte, um dem wunderlichen Waldvolk in Eden, weit im Osten, zu helfen.

Das Lied endete traurig, niemand sah die Schöne wieder, niemand wusste, ob es ihr geglückt war.

Mit tränenerstickter Stimme dankte Eva für das Lied. Aber der Sänger unterbrach sie: »Ich muss dir danken, jetzt, nachdem ich weiß, wie es weiterging, und ich das Lied zu Ende dichten kann.«

Es war spät in der Nacht, als sie sich erhoben und einander einen guten Schlaf wünschten. Emer lauschte in die Stille, mit einem Mal merkte er, dass der Regen nicht länger auf das Zeltdach trommelte.

»Es regnet nicht mehr«, sagte er.

Und als die Frauen zu ihrem Zelt zurückgingen, funkelten über ihnen die Sterne am Himmel. Die Königstochter kämmt ihr Haar, dachte Eva. Sie kämmt sich, um hübsch zu sein für die Begegnung mit dem Licht. Aber das Licht will sie nicht haben, jagt sie jeden Morgen davon.

Ich sollte dem Sänger erzählen, wie die Mutter mich eines Tages mit hinausnahm und mir das Märchen von der Nacht erzählte. Dieses Märchen war die Antwort auf eine Frage, die die Menschen irgendwann einmal stellen würden.

In dieser Nacht betrat sie an der Grenze ins Traumland ein Zelt, in dem sie von Frauen und Kindern umgeben war. Es war schön.

Früh am Morgen weckte sie der Säugling. Gut, dachte Eva und zog sich rasch ihre eigenen Kleider an, die jetzt sauber und trocken waren. Nicht so hübsch wie die geliehenen, aber praktischer.

Freundlich wehrte sie alle Einladungen ab, noch etwas zu bleiben und sich auszuruhen, ging zu den Tieren, wo sie die Männer antraf, und verabschiedete sich.

»Wir möchten gern an deinem Wissen von den Pflanzen teilhaben«, sagte Emer.

»Ich komme zurück. Oder schickt ein paar Frauen zu mir, zu uns hinauf. Ich kann es ihnen schnell beibringen.«

»Danke«, sagte er. »Vielleicht können wir unsere Freundschaft durch eine Heirat besiegeln. Dein Sohn kann sich hier eine Frau aussuchen, ich habe mehrere Töchter.«

Schnell senkte sie ihren Blick und errötete. Emer sollte seine Tochter einem Mörder schenken?

Aber sie fing sich wieder und antwortete:

»Darüber musst du mit meinem Mann verhandeln.«

Er lächelte, deutete ihre Verwirrung als Bescheidenheit und fand, sie kannte sehr wohl ihren Platz. Ihren Frauenplatz.

»Du hast Recht«, sagte er. »Ich werde Adam aufsuchen und um eine Heirat bitten.«

Eva brach auf und schüttelte unterwegs den Kopf. Dummheiten. Natürlich würde sie ein Wörtchen mitreden, wenn es um die Hochzeit ihrer Kinder ging, dachte sie und vergaß für einen Moment, dass sie nur noch ein Kind hatte, eines, zu dem sie sich nicht bekennen wollte.

Ein paar Steinwürfe weiter drehte sie sich um und winkte.

Dann war sie wieder allein, es war ein herrlicher Morgen.

Kapitel 14

Es gibt einen federnden Schritt, der geboren ist aus der Freude. Wie ein Tanz sieht er aus, als schwebte man über der Erde.

So läuft jemand, der auf dem Weg zu seinem Liebsten ist. Dein Mann, hatte Emer gesagt. Mein Junge, mein Mann, dachte Eva nun, und ihr wurde plötzlich warm ums Herz. Wir beide werden von vorn beginnen, in neuer Liebe, jetzt, wo wir unsere Geschichte kennen.

Wir waren uns selbst und dem anderen gegenüber fremd, dachte sie. Ob man wohl zum Fremden wird, wenn man seine Kindheit nicht kennt? Erleidet vielleicht das gegenseitige Vertrauen einen Bruch, wenn man nicht mehr sagen kann: So ist es mir ergangen, auf diese Weise musste ich lernen. Wie war das bei dir?

Bei diesem Gedanken verlor ihr Gang die Leichtigkeit, die Frau dachte, wie wenig Hilfe sie dem Mann im Grunde geben konnte. Seine Kindheit hatte ganz dem Volk des Augenblicks gehört, das keine Worte kannte und keine Erinnerungen sammeln konnte. Vielleicht würden die Bilder von der Horde, wie sie beide sie oft von ihrem Versteck im Baum aus beobachtet hatten, Momente der Erinnerung in ihm wecken, dachte sie. Vielleicht hatte ja der Schamane dort im Laubwald mit dem Jungen über die Kindheit gesprochen, als er ihn die Worte lehrte.

Im nächsten Augenblick blieb Eva stehen und rührte sich nicht von der Stelle.

Warum erinnert sich Adam nicht an den Schamanen?, fragte sie sich zutiefst verwundert. Wie hatte er all das vergessen können, was er während der Jahre, weit draußen dort in jener Hütte, wo das Licht nicht so stark war, gelernt, erfahren und verstanden haben musste? An die Lehre von seinem Gott erinnerte er sich noch, ebenso an die Gebete und die Kenntnis, Opfer darzubringen … Auch an das praktische Wissen – wie man Tonkrüge herstellte, Hauswände aus Reisern flicht, wie man Tische und Bänke baute.

Wo aber war die Erinnerung an den Schamanen, an den Vater geblieben?

Für gewöhnlich sprach der Mann von dem Vater im Himmel und meinte Gott damit. Was aber war mit seinem Vater auf der Erde und was mit dem Lehrer?

Das verstand sie nicht. Und immer, wenn ihr etwas unbegreiflich war, fürchtete sie sich, spürte sie tief in ihrer Brust das nagende Tier, das sich unter dem Herzen festsetzt und die Freude in ihrem Körper auffrisst.

Wie seltsam, dachte sie. Und gleich darauf: Wollte er sich nicht erinnern? War es möglich, das, woran man nicht denken mochte, aus dem Gedächtnis zu verbannen?

Und warum wollte er die Erinnerung nicht?

Wovon handelten die Märchen und Geschichten, die er den Kindern erzählt hatte? Sie musste versuchen, sich genauer und in allen Einzelheiten zu erinnern.

Doch es fiel ihr nicht mehr ein, nur kleine Bruchstücke kehrten zurück. Da war eine Königstochter, ja, und bei der Erinnerung begann ihr Herz heftiger zu schlagen – und ein gewitzter kleiner Junge, der einen bösen Riesen an der Nase herumgeführt hatte.

Vielleicht gab es in den Lügengeschichten trotzdem ein paar Wahrheiten? Der böse Riese, das war der Hordenführer. Fast hörte sie die Stimme des Mannes aus dem alten Kindermärchen sagen: Und drinnen in dem Ur-Wald lebte einst ein böser Mann, und seine Lüsternheit war groß, sein Glied wie eine sich ringelnde Schlange.

Lieber, du mein lieber Mann, dachte die Frau. Wie kann ich dir nur erklären, dass der nicht böse ist, der zwischen Gut und Böse nicht unterscheiden kann? Das zu verstehen kann für dich wichtig sein, Adam, denn der Böse könnte dein Vater gewesen sein.

Es ist notwendig, seine Kindheit zu kennen, aber damit ist das Bild noch nicht vollständig. Natürlich ist es gut zu wissen, was damals geschah.

Aber das Wichtigste an meiner Reise war für mich die Aussöhnung mit dem, was gewesen ist, dachte sie.

»Sicherlich wird auch der Mann zu dieser Einsicht kommen«, sagte sie laut zu sich selbst, richtete ihren Blick hinauf zu der Hochebene vor sich und setzte die Wanderung fort. Die Sonne glitzerte in den Pfützen, es roch nach nasser Erde, das Gras richtete sich wieder auf, frisch und grün nach dem Sturzregen, und erfüllte Eva mit neuer Hoffnung.

Sie schüttelte die merkwürdigen Gedanken aus dem Kopf, fort mit euch. Früh genug muss ich mich mit dem Schwierigen befassen. Und wenn es allzu schwer werden sollte, dann würden sich vielleicht die Bilder, die sie dazu beitragen konnte, mit den Bruchstücken, an die er sich möglicherweise selbst noch erinnerte, zu einem Gesamtbild zusammenfügen. Mit dem könnte er sich dann aussöhnen, könnte es annehmen.

Ihre Schritte wurden wieder leichter. Vor ihren Augen wuchs nun allmählich der Berg steil und massig empor. Sie kam diesmal von Westen, musste den Berg ein langes Stück umwandern, um wieder zu dem Wildpfad zu gelangen, der zu dem Felsvorsprung führte. Ihn musste sie noch vor dem Abend erreichen, aber es dürfte zu schaffen sein.

Während sie über die Ebene weiterwanderte, kehrte diese verwünschte Unruhe immer wieder zurück, aber im Großen und Ganzen gelang es ihr, sie zu unterdrücken. Und als sie im Schatten der Bergwand anlangte, war sie stolz: Tatsächlich hatte sie den Berg erreicht, bevor die Sonne die Südseite beschien. Wenn sie das Tempo hielte, könnte sie noch eine Stunde lang im wohltuenden Schatten klettern, danach würde die Sonne im Süden stehen, dem Berghang genau gegenüber.

Bis dahin aber wollte sie den untersten Absatz erreicht haben und Mittagsrast machen, dort, wo sie sich einstmals darüber unterhalten hatten, wie das Wort zu ihnen gekommen war.

Eva ging in östlicher Richtung am Fuß des Berges entlang, den Blick aufmerksam nach vorn gerichtet, um den Wildpfad auszumachen, der nach oben führte. Und da war er, so schwer war er gar nicht zu finden. Sie kannte sich wieder aus, atmete mehrmals tief durch, um Kräfte zu sammeln und die Freude zu spüren. Jetzt war der Heimweg ein Leichtes, nichts könnte mehr passieren, selbst wenn es anstrengend würde.

Und es wurde anstrengend, sie hatte ganz vergessen, dass der Pfad so steil war. Anfangs kürzte sie aus lauter Eifer ein paar Mal den unwegsamen Pfad, den die Tiere getrampelt hatten, in den Biegungen ab – manchmal sogar auf allen vieren. Dann musste sie es sein lassen, die Kräfte würden nicht reichen, wenn sie nicht brav den Biegungen folgte. Das verlängerte zwar das Klettern, war aber weniger steil.

Stück für Stück kämpfte sie sich bergauf. Es geht auf das Herz, dachte sie und lauschte den Schlägen in der Brust, hart und schnell hämmerte es dort drinnen. Aber ich schaffe es schon.

Und ich habe richtig gerechnet, dachte sie, als sie den Felsabsatz erreichte, den Vorsprung mit dem Hain und der Quelle. Denn kurz bevor sie dort anlangte, kam die Sonne herum, hell und stark leuchtete sie über die grüne Landschaft, sengendheiß würde sie zum Nachmittag hin werden.

Nun saß sie also erneut an diesem Platz, wo sie vor wenigen Tagen noch darüber nachgesonnen und angenommen hatte, sie und der Mann hätten die Worte erfunden. Genau hier war es. Das sichere Wissen um ihren Bund mit der Erde und den Pflanzen war ein schönes Gefühl gewesen.

Sie hatte angenommen, die Namen entstammten dieser Vertrautheit. Jetzt wusste sie, dass sie bereits vorher in ihrem Kopf waren, die Mutter hatte sie ihr einst mitgegeben.

Vielleicht war ja der Bund zwischen ihr selbst und der Erde nur eine Illusion gewesen?

Und wenn doch, würde er sich jetzt auflösen?

Sie sah hinüber zu den stachligen Ginsterbüschen in der Felsenkluft und zu den Malven, die noch immer blühten. Sie sahen aus wie immer, und doch war es jetzt eine Spur kälter zwischen ihr und ihnen. Der Abstand war größer geworden, die Vertrautheit kleiner.

Ich bin es nur, die jetzt anders ist, dachte sie. Und dann unvermittelt: Vertrauen, habe Vertrauen.

Für einen kurzen Moment hatte sie den Eindruck, die Malven lachten über sie.

Sie holte den Proviantbeutel hervor. Gut und reichlich hatte man sie versorgt – mit kaltem Fleisch, getrockneten Feigen, einem Stück weichen, sahnigen Käse, damit würde sie bestimmt satt werden. Frisches Wasser konnte sie sich von der Quelle holen und damit ihren Durst löschen, was wollte sie mehr? Und sie gemahnte sich selbst, unbedingt auch den Lederschlauch mit Wasser zu füllen, bevor sie sich zum letzten Anstieg aufmachte.

Dieses restliche kleine Stück würde sie eine Menge Schweiß kosten.

Der Breitwegerich an der Quelle erinnerte sie an die Wunde ihrer Hand, und sie sah nach: Nicht der kleinste Rest Schorf war mehr da. Die Wunde musste von einer außerordentlichen Kraft geheilt worden sein. Sie vermutete, es könnte mit dem weißen Licht drüben in dem Hain zusammenhängen. Nicht direkt mit dem Licht, aber mit dem damit verbundenen Vergessen. Dort achtete man nicht weiter auf die kleinen Wehwehchen, und was man vergaß, das verschwand. Wie der Mann mit den sanften Augen gesagt hatte: Was einem nicht bewusst ist, gibt es auch nicht.

Dann gab es also für den Mann daheim auch nicht den Schamanen, dachte sie. Was geschähe, wenn der Alte wieder zum Leben erweckt würde? Die innere Unruhe, die sie während der Wanderung verspürt hatte, kehrte zurück. Und sie unterdrückte sie von neuem.

Hier, dachte sie, und Jetzt. Kein Damals und Später.

Vielleicht war dieses Wissen das Wichtigste, was sie auf der Wanderung in das Kindheitsland gelernt hatte: nicht die Erinnerungen und Geschichten, auch nicht das Gefühl des Verstehens und die Versöhnung mit dem Vergangenen, sondern dieses Einfache und Klare.

Nur das Hier, das Jetzt.

Es war das Wissen des wilden Volkes, das sie nach Hause zurücktrug, um damit ein neues Leben zu beginnen.

»Ach, du Gott Adams«, sagte sie laut, »sollte ich noch einmal ein Kind bekommen, dann weiß ich endlich, dass ich den Augenblick nutzen muss.«

Die Erinnerungen des Mannes brauche ich nicht zu fürchten, dachte sie, als sie den letzten Bissen hinunterschluckte. Ich habe immer Macht über ihn ausgeübt, jetzt muss es mir gelingen, ihn an meiner Freude teilhaben zu lassen, ich muss ihn dazu bringen, sie anzunehmen und zu sehen, was ich sehe.

Dann füllte sie den Lederschlauch mit Wasser und machte sich auf den Weg. Der Rest des Nachmittags war nur noch Anstrengung, Hitze, rinnender Schweiß. Himmel, wie mühsam der Aufstieg war. Sie musste mehrere kleine Pausen einlegen, musste Wasser, immer wieder Wasser aus dem Lederschlauch trinken. Und dann: tief durchatmen, weiterlaufen.

Sie hörte auf, den Abstand zu dem Felsvorsprung dort oben abzuschätzen, es hatte keinen Zweck, der Blick wurde getrübt vom Schweiß, und der Weg wurde auch nicht kürzer von den Berechnungen.

Einmal vermeinte sie ein Rufen zu hören: »Eva, Eva …«

Ich bilde mir das ein, sagte sie zu sich, biss die Zähne zusammen und lief weiter.

Erst als sie Steine kullern hörte und Schritte, die den Berghang hinunterstolperten, wagte sie ihren Ohren zu trauen.

»Eva, Eva ...!«

Und er war es tatsächlich, Adam, der den Abhang herunterrutschte und ihr entgegenlief.

Einen Steinwurf voneinander entfernt blieben sie stehen, sahen sich nur an. Flüchtige Gedanken tauchten am Rand der Freude auf: Ich muss schrecklich aussehen, wie mir der Schweiß über den ganzen Körper läuft ... wie froh er ist, mich zu sehen ... seine Augen sind noch immer braun ... ich darf ihm nicht wehtun mit meinem Bericht ...

Aber eigentlich spürte sie nur reine Freude, ein warmes Gefühl in der Brust, und so stark, dass es hinaus ins Freie drängte. Verflixt, jetzt trüben auch noch die Tränen meinen Blick.

Im nächsten Moment war er bei ihr und ergriff ihre Hände.

»Du bist zurückgekommen!«, rief er.

»Ja«, nickte sie.

»Und hast du erreicht, was du dir vorgenommen hast?«

Sie lächelte und nickte.

»Hast du auch die Antwort bekommen? Weißt du es jetzt?«

»Nicht alles, es gibt so viel zu erzählen.«

Und dann wie zu einem Kind, das man beruhigt:

»Alles ist in Ordnung, Adam, es ist ja gut, alles ist gut.«

Erleichterung in den braunen Augen.

»Später«, sagte er, »erzähl mir später. Wirst du das letzte Stück schaffen?«

Lachen – und ob sie es schaffte! Jetzt schaffte sie alles.

Aber er hörte die Worte nicht, nur die Freude darin, und er hob sie hoch, als wäre sie ein kleines Kind, und trug sie nach oben.

Kapitel 15

Beide waren verschwitzt und außer Atem, als sie den Felsvorsprung erreichten. Wie einst stellten sie sich auch diesmal unter den Wasserfall, füllten Mund und Bauch mit dem eiskalten Wasser, ließen es über Kleidung und die gelösten Haare fließen und kühlten ihre erhitzten Körper. Während das Wasser um sie spritzte, sandten sie sich erregte Signale: Du, ich will, willst du auch? Ja … Und behutsam zog er ihr die nassen Kleider aus …

Dann lagen sie wieder in dem weichen Gras hinter dem kühlen Wasserfall, Mund suchte Mund, Hände suchten Brüste, Lenden, den Schoß. Ach, ich hatte beinahe vergessen, wie schön das ist, dachte sie. Dann wurde sie umhüllt von dem weißen Licht. Hier ist es gewesen, konnte sie noch mit äußerster Verwunderung denken, kurz bevor sie auf ihrem Höhepunkt war, und vergaß sich selbst über dem Gefühl der Wonne, ließ ihr Sein hinter sich und verschmolz mit allem, was sie umgab – dem Himmel, dem Gras und dem Fluss dort unten.

Wie seltsam, dachte sie, als sie in ihren Körper, in ihr Bewusstsein zurückkehrte. Und doch habe ich irgendwie gewusst, dass die Liebe in dem weißen Licht ihr Zuhause hat.

Vielleicht ist es ja so, überlegte sie weiter, das Volk dort drüben erhält das weiße Licht mit ihren Liebesspielen am Leben. Dieser Gedanke brachte sie beinahe zum Lachen. Sie sah zu dem Mann hoch, wollte ihn teilhaben lassen an ihren Überlegungen, hielt sich aber zurück. Er hatte sich auf den Rücken gedreht, seine Augen blickten in den Himmel. Fragen spiegelten sich in ihnen.

Ihr fiel ein: So war er immer gewesen, wenn sie sich geliebt hatten – ein bisschen traurig, schuldbewusst.

Weshalb, dachte sie?

Dann schauten sie sich wieder an, und ihre Freude ging auf ihn über. Zärtlichkeit schwang jetzt zwischen ihnen, und ein starkes Gefühl von Gemeinschaft.

Wie haben einander, wir beide.

Er hatte dort auf dem Felsabsatz ein Nachtlager hergerichtet, hatte von zu Hause etwas zu essen mitgebracht – sogar Brot!

Oh, wie hatte sie sich nach Brot gesehnt. Auch grüne Erbsen gab es und Fisch, den hatte sie lange nicht bekommen.

Ihr Ringwall aus kleinen Steinen war noch da, sie musste darüber lachen. Und er hatte Brennholz gesammelt für ein Feuer an einer windgeschützten Stelle des Felsens.

»Bist du schon lange hier?«

»Seit gestern Abend. Ich konnte nicht mehr warten.«

»Das ist schön«, sagte sie.

»Ich hatte gedacht, wir könnten die Nacht über dableiben«, antwortete er. »Könnten hier schlafen, wie wir es schon einmal gemacht haben.«

»Wunderbar«, stimmte ihm Eva zu.

Dann sahen sie, dass sie nackt waren und erröteten. Lachen, Verlegenheit, sie alte Menschen, und das am helllichten Nachmittag.

Wie schön er ist, dachte sie. Viel schöner als die Menschen dort drüben in den Wäldern, deren Kind er ist. Seltsam, vieles gibt es, was ich nicht begreife.

»Ich habe trockene Wäsche zum Wechseln dabei«, sagte er und holte die Kleider aus dem Ranzen.

Er ist so besorgt und umsichtig, ging es ihr durch den Kopf. Das ist er immer schon gewesen, wo hat er das nur gelernt? Bei dem Volk, das sich nie um etwas gekümmert hat? Bei dem Schamanen?

Als sie an den Schamanen dachte, zog ein Schatten über ihr Gesicht. Ich muss vorsichtig sein, muss mir genau überlegen, was ich sage. Sie waren jetzt einander so nah, dass sich jede Veränderung dem anderen mitteilte. Er hatte den beunruhigten Schatten bei ihr bemerkt und fragte: »War irgendetwas?«

»Nein«, wischte sie seine Besorgnis mit einem Lachen fort, und sie zogen sich an, trugen auf wie für ein Fest, aßen und genossen das Essen.

Ich werde mit Gabriel beginnen, dachte sie bei sich. Da gibt es nur Gutes zu berichten.

»Das Wunderbarste, was ich erlebt habe, war die Begegnung mit einem Mann«, erzählte sie und übersprang den Platz mit der Lichtung und den Baum der Erkenntnis. »Wir haben miteinander geredet, und ich habe diese Unterhaltung fest in meinem Kopf behalten, Wort für Wort, um sicher zu sein, dass ich nichts vergesse und nichts hinzufüge. Ich wusste, dass es wichtig für dich ist.«

Er hörte dem Bericht aufmerksam zu und folgte eifrig jedem einzelnen Wortwechsel. Er wollte mehr Worte, wünschte, sie hätte mehr gefragt.

»Hast du dich nicht nach Gott erkundigt?«

»Nein.«

»Aber warum nicht?«

»Das konnte ich nicht, es wäre mir falsch vorgekommen, unverschämt.«

Er nickte ernst.

»Ich verstehe. Du glaubst, es war Gott selbst?«

Sie dachte lange nach, der Gedanke war neu für sie, aber nicht ganz abwegig. Wer war er? Wer konnte er sonst gewesen sein?

»Er sagte, sein Name sei Gabriel.«

Der Mann war bleich geworden: »Ich weiß«, sagte er. »Nicht Gott selbst, sondern einer seiner Engel.«

Zwischen ihnen war es jetzt feierlich still geworden, und sie wagte nicht weiter zu fragen. Obwohl sie es gern getan hätte. Hatte Gott Helfer, Engel etwa?

Die Sonne ging allmählich unter, im Flussbett drüben in der Ebene spiegelten sich schräg die letzten Strahlen.

Blitzten noch einmal in den entfernten Baumwipfeln auf, die nur der erahnen konnte, der von ihrer Existenz dort weit im Osten wusste.

Kehrte bei Adam die Erinnerung zurück? Sie getraute sich nicht danach zu fragen. Er war es, der nun die Stille durchbrach:

»Vieles von der Unterhaltung begreife ich nicht. Wer war das tote Kind? Wer sind diese Menschen dort drüben in den Wäldern, die nicht sterben?«

»Damit du das alles verstehst, müsste ich von Anfang an berichten«, sagte sie. »Das wird viel Zeit in Anspruch nehmen. An diesem ersten Abend sollst du nur eines wissen: Wir selbst haben diese Welt geschaffen, in der wir leben, und wir müssen herausfinden, welches unsere Aufgabe hier ist.«

Der Mann schüttelte den Kopf, er verstand nichts. Aber ein anderer Gedanke aus ihrem Gespräch mit dem Engel ließ ihn nicht los.

»Was hat er gesagt, als er von der Schuld sprach?«

Sie wiederholte die Worte, so genau, als wären sie in den Felsen eingeritzt worden:

»An dem Tag, an dem du erkennst, dass der Junge ohne Schuld ist, wirst du Frieden finden. Gottes Kinder sind ohne Schuld. Bis ihr gelernt habt, das zu begreifen, werdet ihr einander viel Böses antun.«

Über das Gras wehte ein kalter Abendwind, Eva fror ein wenig. Der Mann sah sie lange an, dann sagte er:

»Wir sind also Kinder Gottes? Gott hört mir nicht zu. Er hat sein Gesicht von mir abgewendet.«

Eva versuchte, sein Inneres zu erreichen, zu ihm durchzudringen:

»Er sagte doch, ›bis ihr gelernt habt‹. Ihr, hörst du? Wir beide sind gemeint, du und ich.«

Aber sie wusste, dass sie dabei war zu verlieren, der Mann hörte nicht auf diese wichtigen Worte.

»Was für Früchte hast du gegessen?«, fragte er stattdessen.

»Äpfel«, sagte sie, »unsere eigenen Äpfel. Ach, ich sehne mich nach ihnen, hast du welche dabei?«

»Aber ja.« Adam holte die Früchte herbei, sie aßen beide davon. Auch er isst welche, dachte sie verwundert und ein wenig beunruhigt. Er war nie ein Apfelesser gewesen wie sie, jetzt nahm er sich gleich zwei.

Plötzlich wurde ihr ein wenig unheimlich. »Wollen wir nicht schlafen? Ich bin so müde«, sagte sie.

»Doch, ja«, gab er zurück, und wieder war dieses Weiche in seiner Stimme.

Er entzündete ein Feuer, sie bereiteten ihr Lager, und sie schmiegte sich in seine Arme, ein schönes Gefühl.

Hätte er nur nicht gerade heute Abend von den Äpfeln gegessen, dachte sie. Aber da fiel sie schon in Schlaf, und schnell und entschlossen nahm er die Unruhe von ihr. Sie war furchtbar müde.

Mitten in der Nacht wachte sie auf. Sie sah den Mann am Feuer sitzen und frisches Brennholz nachlegen. Schon wollte sie wieder einschlafen, da wurde sie hellwach. Was war das, was sie hörte?

Ja, er weinte, kein Zweifel, er weinte. Jetzt kam für ihn die Stunde der Wahrheit, die Erinnerungen kehrten zurück. Der Schamane, dachte Eva, stand auf und ging zu ihm, legte den Arm um ihn, wollte ihn trösten.

Aber er stieß sie weg.

»Nun gut, wo du einmal wach bist, willst du jetzt nicht erzählen?«

Es klang eher wie ein Befehl, und mit einem Mal dachte sie müde: Ich kann ihn nicht schützen, am besten, er erfährt alles.

Umständlich begann sie zu berichten, sah zu, dass sie jede Einzelheit erwähnte, die Wunde an der Hand, die großen Tiere in der Ebene, die Nacht in dem Baum am Fluss, die Wildkatze, die unter ihr umhergeschlichen war.

Der Mann bekam Angst, drückte bewundernd ihre Hand, sagte: »Gut hast du das gemacht.«

Es ließ ihr eine Verschnaufpause. Eine Weile redeten sie über die wilden Tiere, die Feuersteine, und welches Glück, dass sie sie bei sich hatte. Sie dachten zurück an Emer – und wieder gewann sie ein wenig Spielraum, hatte er ihr doch Grüße mitgegeben. Sie erzählte, wie sie bei dem Hirtenvolk Schutz vor dem Regen gesucht hatte, und er, wie besorgt er war, als er am Abend zuvor den Regen über der Ebene niedergehen sah und befürchtet hatte, sie müsste bei diesem Wolkenbruch dort unten umherwandern.

Jetzt aßen sie von dem Brot, machten etwas Wasser warm, noch war es kalt im Morgengrauen. So fahl war das Licht, dass es sich kaum erahnen ließ.

Dann aber musste sie doch in ihrem Bericht fortfahren. Sie beschrieb das kleine Floß, das sie geflochten hatte, die Überquerung des Flusses. Und schließlich kam sie in ihrer Erzählung zu dem weißen Licht.

»Seltsam, und du bildest dir das nicht ein?«, fragte der Mann.

Aber sie sah, dass er sich erinnerte, etwas weit Entferntes hatte die Erzählung in ihm geweckt, und er versuchte es wieder zu finden.

Dann war sie bei den Wäldern, und sie vergaß nun jede Vorsicht, berichtete eifrig und mit großen Augen von den Kindern der Horde, der jungen Mutter, wie sie bei deren Anblick an ihr eigenens totes Mädchen erinnert wurde, dass sie geweint hatte …

Der Mann hing an ihren Lippen als sie den Nachmittagsschlaf der Horde schilderte, die Umarmungen danach und die Vergewaltigungen, den Stock des Anführers und sein Glied, als die brunstige Hitze von der Erde aufgestiegen war. Adam war weiß geworden.

»Gott«, schrie er. »Gott ja, so war es!« Seine Augen funkelten sie an, als er rief:

»Schweig, Frau, ich kann nicht mehr.« Und nach einer Weile ebenso wild:

»Fahr fort. Fahr, verdammt noch mal, fort.«

Sie kam nun zu den Träumen von dem toten Kind, aber das interessierte ihn nicht – Träume, so ein Unsinn. Sie erzählte von der Alten, dieser Greisin, die doch mit ihnen im gleichen Alter war und die als Einzige überlebt hatte. Er nickte: Ja, irgendeine Strafe mussten sie bekommen für ihren gottlosen Lebenswandel. Sie verdienten es, früh zu sterben.

Eva wagte nicht zu protestieren.

»Fahr fort.«

Sie erzählte von der Mutter, und hierbei konnte er ruhig und intensiv zuhören. Sie wagte eine Frage:

»Erinnerst du dich an sie?«

»Ja, sie ist gut zu mir gewesen.«

»Wann war das?«

»Ich weiß nicht mehr, erzähle weiter, zum Teufel.«

Jetzt konnte sie nicht länger ausweichen, sie musste zu der Hütte des Schamanen kommen, in jenem trockenen Sommer vor langer Zeit. Adam hatte sich hingelegt, den Arm über dem Gesicht, den Körper angespannt, trotz der augenscheinlichen Ruhe in seiner Haltung.

Die Hütte, ihre erste Begegnung, das Gespräch zwischen dem Schamanen und der Mutter, die Rückkehr zu der Horde – keinerlei Reaktion. Hätte er nicht aufgehört zu atmen, würde ich meinen, er schläft, dachte sie.

Sie ängstigte sich jetzt, der Rest der Geschichte wurde trocken und spröde wie Reisig: als das Kind starb, die Flucht zur Mutter in die Hütte, der Aufbruch. Dann der Junge, der dort stand und sagte: »Ich komme mit dir.«

Während des ganzen Rückweges hatte sie diese Erinnerung bei sich getragen wie eine Kostbarkeit: der wunderbare Augenblick, als der Junge sie gewählt hatte. Ihrer Liebe wegen hatte er von allem Abstand genommen, so hatte sie gedacht. Erst jetzt fand sie die Antwort auf die gestrige Frage, warum sich Adam nicht an den Schamanen erinnern wollte.

Sie fuhr zusammen, als er auf die Füße sprang, schnell wie ein Tier, das angegriffen wurde.

»Du warst es, die mich gelockt hat!«, schrie er. »Alles war nur dein Fehler, du Satanshure. Verflucht sollst du sein, verflucht!«

Sie kam ebenfalls auf die Beine, öffnete den Mund, um die Anschuldigung zurückzuweisen, um sich gegen diese Ungerechtigkeit zu wehren. Da schlug er ihr mit voller Kraft ins Gesicht, sie drehte sich, fiel kopfüber hin und schlug sich an den Felsen die Knie auf.

Dann merkte sie, wie ihr das Blut aus Nase und Mund lief, kroch im ersten schwachen Licht des Morgengrauens zu dem Wasserfall und versuchte sich zu waschen.

Aber das Blut rann immer weiter, sie legte sich auf die Erde und dachte: Ganz gleich, soll das Leben aus mir herausströmen. Es ist sowieso das Ende, nichts ist mehr da, wofür es sich lohnt zu leben …

Ihre Knie schmerzten, ebenso ihr Kopf.

Alles ist danebengegangen, dachte sie, jetzt schlafe ich für immer ein. Wer an den Tod glaubt, zu dem kommt der Tod, so war es nun einmal.

Kapitel 16

Sie wachte davon auf, dass der Mann neben ihr auf den Knien lag, mit sauberem Wasser für die Wunden und Breitwegerich für das Gesicht, das um Mund und Wangen dick geworden war. Sie blutete nicht mehr, konnte aber die Augen nicht öffnen.

Zugeschwollen, ging es ihr durch den Kopf. Sie hörte den Mann weinen, versuchte ein Lid zu öffnen, um ihn anzusehen, aber es gelang ihr nicht.

»Kannst du essen?«, fragte er.

Sie fuhr mit der Zunge über die Zähne, ja, sie waren alle noch da, und sie nickte. Sie spürte, wie er ihr etwas Wasser einflößte, zwischen ihre Lippen ein paar eingeweichte Brotbrocken schob, die sie hinunterschluckte.

»Willst du etwas sagen?«

Fast unmerklich schüttelte sie den Kopf, dennoch wurde ihr übel und sie musste sich übergeben.

Den ganzen Tag über blieb sie liegen, während der Mann ihre Verbände wechselte, immer neue eiskalte Blätter vom Breitwegerich auflegte, die er in das Wasser des Sturzbaches getaucht hatte.

Gegen Abend ging die Schwellung ein wenig zurück, sie konnte die Augen öffnen und den Mann ansehen.

Er war alt geworden. Aus dem jungen Adam von gestern war von einem Tag zum anderen ein alter Mann geworden.

Dann schlief sie wieder ein.

Am nächsten Morgen ging es ihr besser, konnte sie Mund und Lider öffnen.

Die müden Augen des Mannes folgten jedem noch so schwachen Gesichtsausdruck.

»Willst du etwas sagen?«, fragte er wie am Tag zuvor.

Sie antwortete nicht, dachte nur: Ich werde meinen Mund nie mehr aufmachen. Gestern noch wollte ich sterben, vom Wort zum Tod ist es ein viel zu großer Sprung.

Als sie die Augen schloss, ging der Schmerz in ihrem Gesicht etwas zurück, stattdessen wanderte er in den Hohlraum unter dem Herzen. Von dort kamen auch die schlimmen Gedanken.

Ich will sterben, also warum erschlägst du mich nicht, würde sie sagen, wenn sie wieder reden konnte. Und würde ihm einen Blick zuwerfen, der ihn, diesen Teufel von Mann, vor Scham sterben ließ.

Aber als sie die Augen aufschlug, um ihm diesen Blick zuzuschicken, begegnete sie der unerhörten Verzweiflung in seinen braunen Augen. Mitleid und Zärtlichkeit gewannen die Oberhand, sie streckte die Hand nach ihm aus und legte sie in seine.

Er drückte sie dankbar: »Verzeih mir«, sagte er wieder und wieder, und die Worte gerieten durcheinander …

Das konnte sie erst recht nicht ertragen, musste ihm ein Ende setzen. Er sollte verdammt noch mal schweigen.

»Ich habe die ganze Nacht über nachgedacht«, sagte der Mann. »Jetzt fällt mir alles wieder ein, und ich weiß, den Rest des Lebens muss ich mit dem Schuldgefühl leben, dass ich versagt habe. Nicht dir will ich die Schuld dafür geben. Ich muss versuchen, immer daran zu denken, dass es nicht deine Schuld ist, dass du mich gelockt hast.

Und dann, eindringlich: »Du darfst mir nicht sterben.«

Sie schüttelte den Kopf, wollte sagen, dass es keinerlei Schuld gab. Aber er fasste es als ein Versprechen auf, nicht zu sterben, und beruhigte sich langsam.

Nach einer Weile sagte er:

»Sie haben den Schamanen erschlagen, stimmt das? Haben sie es getan?«

Sie nickte, versuchte, seinen Blick festzuhalten, als ihm erneut die Tränen kamen. Es gelang ihr nicht, denn nun schlug er beide Hände vor das Gesicht.

Da flüsterte sie unter größten Mühen: »Sie haben auch die Mutter erschlagen.«

»O mein Gott«, sagte er.

Kurz darauf wollte sie erneut etwas sagen, er beugte sich zu ihr hinunter und versuchte von ihren Lippen zu lesen, als sie flüsterte:

»Sie hätten auch uns getötet, wenn wir dort geblieben wären. Wozu wäre das gut gewesen?«

Langsam drangen die Worte in ihn ein, ihre Vernunft hatte immer schon Macht über ihn gehabt, wie auch jetzt. Sie sah, dass er etwas zur Ruhe kam, sein Körper entspannte sich für einen Augenblick.

»Vielleicht wäre es so am besten gewesen«, überlegte er laut.

Und Eva merkte, wie die große Hoffnungslosigkeit vom vergangenen Tag zu ihr zurückkehrte, die Gleichgültigkeit und die Todessehnsucht.

Der Tag verging langsam, die meiste Zeit schlief sie. Er wechselte die Verbände und versuchte, sie dazu zu bringen, etwas zu essen. Zwischendurch redete er, und sie dachte: Gut, dass ich stumm bin und machtlos, dann treten seine Bilder mehr in den Vordergrund.

»Ich erinnere mich«, sagte er, »als der Schamane mich die Worte lehrte. Die Namen der Bäume und Büsche, der Tiere und Früchte, Sonne, Mond, Regen – das ging leicht, es hat Spaß gemacht. Sogar die Winde brachte er mir bei, und die Himmelsrichtungen, aus denen sie kamen, lernte ich. Aber die schwierigen Worte fielen mir nicht leicht. Er sprach viel von dem Bösen, das habe ich nicht verstanden. Schuld war ein anderes Wort, das ich lange nicht begriffen habe.

Ich spielte oft mit meinem Glied, das sei etwas Böses, hatte er gesagt, und schließlich meinte ich verstanden zu haben: Glied und Böses sind zwei Worte für ein und dasselbe. Auch ich habe auf einem Baum in dem Hain gesessen und dem Brunstspiel der Horde zugesehen, der Schamane hatte mich dorthin geführt, damit ich sehe, wie sie Böses tun. Später dann haben wir mit Gott darüber gesprochen und gebetet, Er möge mir Vernunft geben, nicht zu sündigen.«

Eva weinte und verwünschte seinen Gott und sein Schuldgefühl hinter ihren geschlossenen Augen, hinter denen sie den kleinen Jungen sah, dem Schamanen ausgeliefert. In ihr wuchs der Zweifel, Mutters Zweifel, ob sie und der Schamane der Horde jemals etwas Nützliches hatten geben können. Die Mutter hatte Worte und Liebe – Geschenke, die nur der gebrauchen kann, der gewillt ist, im Hier und Jetzt zu leben. Der Schamane hatte die Gesetze.

Was sollten sie damit?

»Am schlimmsten von allen war der Anführer der Horde«, sagte der Mann. »Der Schamane nannte ihn Satan.«

Das wusste ich nicht, dachte Eva. Das gute alte Fluchwort hatte also einen Ursprung. Vielleicht war das die Ursache für die rücksichtslose Gewalt des geilen Bockes und hatte dem Hordenführer diese Kraft verliehen.

Nun redete der Mann weiter, und seine Stimme war jetzt lebhafter:

»Ich erinnere mich, als deine Mutter zum ersten Mal zu uns kam, du warst bei ihr, noch ganz klein ... Sie war damals wütend über den Schamanen und sagte: ›Du kannst nichts über das Böse lernen, wenn du nicht mit dem Guten anfängst.‹

Zuerst wurde ich ängstlich, noch so ein merkwürdiges Wort. Aber sie nahm mich auf den Schoß, wir beide weinten eine Weile, dann strich sie mir über das Haar, und mir wurde es innen drinnen ganz warm.

›Jetzt ist es gut, mein Junge‹, sagte sie, und da begriff ich zum ersten Mal, weshalb es auch Worte für das Unsichtbare gab.«

Mutter, dachte Eva, durch dich kann ich vielleicht sein Inneres erreichen.

Als habe er ihre Gedanken gehört, fuhr er fort:

»Sie war eine bemerkenswerte Frau, der Schamane hatte Angst vor ihr. Ihre Macht war größer als seine.«

Jetzt drängte es Eva etwas zu sagen, sie bedeutete Adam, sich zu ihr hinunterzubeugen, und flüsterte:

»Die Mutter hatte gemeint, nicht der ist schlecht, der zwischen Gut und Böse nicht unterscheiden kann. Bosheit kann es nur dort geben, wo auch das Gute seinen Ursprung hat.«

Er errötete, sagte: »Es fällt mir schwer, dich zu verstehen …«

»Damals, als du ein kleines Mädchen warst, musste ich auf dich aufpassen, musste über dich wachen, während du geschlafen hast. Ich habe gespürt, dass ich dich liebte, damals fing ich an zu lernen, was Liebe ist. Später dann, als du zurückgekommen warst, erwachsen und mit schönen Brüsten, schönem Hinterteil, wurde es körperliche Liebe. – Verdammt!«

Nun schrie er wieder.

Den Schamanen soll der Satan holen, dachte Eva hinter verschlossenen Lippen. Und bei dem Gedanken musste sie beinahe lächeln, genau dies war ja geschehen.

Der Satan hatte sich den Schamanen geholt und ihn erschlagen.

Als sie an diesem Abend einschlief, wusste sie, dass der Lebenswille, der Wille zu kämpfen, allmählich zu ihr zurückkehrte. Und sie würde kämpfen, für ihren Mann und ihr gemeinsames Leben.

Sie war nicht mehr allein, die Mutter war da, die Macht der Mutter über den Jungen von damals.

In dieser Nacht träumte sie von der Katze, wie sie um den Baum am Fluss strich, und sie besiegte sie noch einmal mit brennenden Spänen.

Kapitel 17

Am nächsten Morgen fühlte sie sich besser, und sie versuchte, ein wenig zu sitzen und zu laufen. Es ging einigermaßen.

Eine klare Sonne war aufgegangen, ein warmer Tag erwartete sie.

»Wirst du es schaffen?«, fragte der Mann. »Wir müssen nach Hause, wegen der Tiere.«

»Aber der Junge versorgt doch die Tiere.«

»Er ist weggelaufen«, sagte der Mann. »Gleich am nächsten Morgen, nachdem du aufgebrochen bist, war er fort.«

Eva spürte eisige Kälte mitten im Sonnenschein; hastig, und hart zu sich selbst, überlegte sie: Diesen Schmerz muss ich auf mich nehmen, aber später, nicht jetzt.

Der Mann aber hatte die Verzweiflung in ihren Augen bemerkt, und von neuem erwachte in ihm rasende Wut:

»Aha, das tut dir also weh. Um einen Mörder kümmerst du dich, ihn betrauerst du. Aber der ist für dich ein Dreck, der seine Schuld fühlt und sie kaum ertragen kann …«

Nun konnte sie nicht länger schweigen.

»Was zur Hölle meinst du damit, du bist für mich ein Dreck«, schrie sie zurück. »Ich liebe dich, und du weißt das, du verdammter Lügner!«

Sie sah, wie er weiß wurde, aber an Mut hatte es ihr nie gefehlt, deshalb hörte sie auch noch nicht auf.

»Schlag du nur zu«, rief sie, »schlag mich wieder. Mach es aber diesmal richtig, erschlage mich. Nur wegen meines festen Schädels lebe ich noch. So jemand wie du sollte das Wort Mörder nicht in den Mund nehmen. Kain hatte Pech gehabt, du hattest bloß Glück.«

Woher kommen diese Worte?, fragte sie sich selbst verblüfft. Die Sätze, diese Wahrheiten. Denn es ist wahr, Kains Verbrechen war nicht schlimmer, aber er hatte Pech gehabt.

Das Unfassbare, das geschehen war, als ihr Sohn seinen Bruder erschlagen hatte, war plötzlich begreiflich geworden.

Der Mann, der vor ihr stand, sah es auch so.

»Du hast Recht.«

Gischt wehte vom Wasserfall herüber, der Wind hatte jetzt zugenommen. Sie begann wieder zu frieren, er sah es und legte den Arm um sie.

»Ich schwöre dir, nie wieder werde ich die Hand gegen dich erheben.«

Da sagte Eva etwas, das sie wieder überraschte:

»Wir versprechen uns am besten nicht zu viel. Ich kann auch ganz gut zuschlagen. Aber ich schlage mit Worten.«

Nun lächelte der Mann zum ersten Mal seit ihrem Wiedersehen.

»Danke«, sagte er. »Danke, das hat gut getan. Ich werde es nicht vergessen.«

Er lebt in der Vergangenheit, gibt aber bereits für die Zukunft Versprechen ab, dachte sie. So, wie ich bisher und wie ich es ihm beigebracht habe. Und doch ist es besser, in dieser schwierigen Zeit ganz im Jetzt zu leben und im Dreck unterzugehen.

Der Weg nach Hause war leichter als sie gedacht hatten, auch wenn Eva hin und wieder die Kräfte verließen und die aufgeschlagenen Knie sie bei jedem Schritt schmerzten. Aber mit mehreren Ruhepausen war es zu ertragen. Adam trug sie das letzte Stück, und bei aller Anstrengung erwartete sie bei der Ankunft zu Hause eine Reihe kleiner Freuden.

Es war geputzt und sauber, frisches Laub im Krug am Herd, der Gemüseacker sorgfältig bestellt, die Blumenbeete in voller

Blüte, und das Getreide hing voll schwerer Ähren. Die Apfelbäume bogen sich unter den Früchten, und der blaue See unterhalb der Behausungen lag friedlich da wie immer.

Der Mann bereitete ein Ruhelager am Eingang der Höhle, während sie aus ihrem Vorrat etwas Opium und sauren Rahm holte, beides vermischte und es auf die Wunden strich. Darauf legte sie geriebene Zedernrinde. Sie aßen ein wenig Käse, Brot und ein paar Früchte und tranken Quellwasser. Das Essen schmeckte ihr wieder.

Jetzt werde ich mich ausruhen, dachte sie. Ich will nicht schlafen um auszuweichen, sondern um neue Kraft zu sammeln. Der Mann würde bis zum Abend mit den Tieren beschäftigt sein, und das war gut so, sie hatte das Bedürfnis, allein zu sein.

»Kommst du zurecht?«, fragte er.

»Ja, mach dir meinetwegen keine Sorgen.«

Sie lag im Halbschlummer und hatte endlich Zeit, über Kain nachzudenken, ihn, den sie hartnäckig aus ihren Gedanken und Erinnerungen verbannt hatte, seit das Unglück geschehen war.

Den Jungen mit den harten Augen. Wie sahen seine Augen eigentlich aus?

Sie waren beinahe schwarz. Wie die der Horde, dachte sie. Und wie ihre eigenen. An jenem Abend in Emers Zelt hatte sie sich dem Wildvolk verwandt gefühlt, hatte gedacht, dass deren Blut ja auch in ihren eigenen Adern floss. Aber der Beweis, dass sie tatsächlich eine Tochter jenes Satans war, fand sich in ihren Augen. Und in Kains.

Ihr Herz hämmerte, sie musste sich auf den Rücken drehen, so war es erträglicher.

Jetzt sah sie alles klar vor sich. Während der Jahre hier oben, in denen die Kinder heranwuchsen, hatte sie von der Horde und dem Leben in dem Paradies so vollständig Abstand genommen, dass sie alles vergessen hatte. So, wie Adam den Schamanen.

Aber warum? Aus Angst? Die Horde konnte sie auf dem Berg hier nicht erreichen, was hatte sie also gefürchtet?

Die Verlockung war es. Eingesogen zu werden in das freie Leben, ohne Gewissen, jenseits aller Regeln, Pläne, Schinderei und Sorgen.

Der Junge erinnerte mich immer an etwas, wonach ich mich nicht sehnen durfte. Deshalb habe ich ihn verstoßen …

»Es gibt keinen Weg zurück«, hatte sie zu Gabriel gesagt und schließlich erkannt, dass die eigentliche Absicht der Reise die Rückkehr zum Licht gewesen war. Auch Adam hatte das gewusst: »Du kommst doch zurück?«, hatte er gesagt. Und als sie sich wieder trafen, war inmitten der Freude dieses Erstaunen: »Du bist zurückgekommen.«

Der Junge, der älteste Sohn, hatte den Preis bezahlen müssen für diesen Sog, dessen Kraft sie nie gewagt hatte, sich selbst einzugestehen. Den jüngeren Sohn hatte sie mit ihrer Zärtlichkeit und Fürsorge überschüttet, ihn, der anders war, fleißig, ordentlich, schlagfertig. So anders wie das neue Leben hier.

Der Kleine, erinnerte sie sich, kannte mit zwei Jahren schon mehr Wörter als der Große mit fünf. Oft hatte sie es früher mit Stolz erwähnt. Aber wie unendlich dumm von ihr: zu verurteilen, zu beurteilen, einzuschränken – den einen zu schonen und dem anderen Verantwortung aufzubürden.

Jetzt, wo sie es endlich einsah und verstand, gab es ihn nicht mehr, ihren großen Jungen.

Zu spät.

Das war schwer und schmerzte, es war beinahe schlimmer als der Kampf mit dem Mann. Sie zog sich in die inneren Kammern ihrer Behausung zurück, zog sich aus, obwohl die Sonne noch hoch am Himmel stand, und suchte Zuflucht im Schlaf.

Als der Mann zurückkam, schlief sie tief und fest.

Kapitel 18

Die Zeit verging, Stille umgab die beiden dort oben auf dem Berg. Wortlos gingen sie ihrer alltäglichen Arbeit nach.

Die Sorge um den Sohn lastete auf ihr, und Adam kämpfte mit seinen Schuldgefühlen, die er dem Schamanen gegenüber hatte.

Hin und wieder kamen sie sich näher, meistens in der Absicht, einander zu verletzen. Nur selten fielen auch Worte, die meisten waren böse.

Eines Tages versuchte sie ihm die Sache mit Kain zu erklären, wie sie den Jungen von sich gestoßen hatte, weil er sie im tiefsten Inneren an die Horde erinnerte. Und wie verzweifelt sie sei, dass der Junge so ohne Liebe hatte aufwachsen müssen. Aber der Mann verstand nicht zuzuhören.

Die Worte dringen nicht zu ihm durch, dachte sie und wusste, es lag auch an ihr, weil sie die Worte abwägte und auswählte, um ihn nicht zu reizen und zu verletzen. Sie konnte ja schlecht über den Sog sprechen, den die Horde auf sie ausgeübt hatte, konnte es nicht zugeben, ohne ihm wehzutun.

Zwischen uns gibt es keine volle Wahrheit mehr, sagte sie zu sich. Und damit geht auch das Vertrauen verloren.

Die Wahrheit kann man wohl nie ganz teilen.

Der Mann stand vor ihr, sah ihr Zögern und fragte höhnisch:

»Trauerst du um deinen verlorenen Sohn?«

»Es ist ja wohl auch deiner.«

»Zur Hölle auch. Du hattest ihn bereits vor unserer Wanderung hierher in deinem Schoß, du Hure. Wahrscheinlich ist er der Sohn dieses Satans.«

Eva rang nach Luft, sah ein, es könnte wahr sein. Vermutlich stimmte es …

Alleingelassen mit ihrer vormittäglichen Hausarbeit kam sie zur Gewissheit: Kain war ganz und gar das Kind der Horde. Wie lange hatte Adam es bereits gewusst oder geahnt? Das zu ertragen musste schwer für ihn gewesen sein, sie verstand es gut.

Für sie war es leichter, und umso enger fühlte sie sich mit dem Jungen verbunden. Er war ein Kind des freien Volkes mit all dessen Kraft in seinem Blut, er würde dort draußen in der Wildnis schon zurechtkommen.

Gedanken schossen ihr durch den Kopf:

Er muss eines Tages zurückkommen, muss es erfahren.

Sie muss ihn dazu bringen einzusehen, dass er keine Schuld an dem Brudermord hatte, dass es ihre Schuld war.

Nein, was hatte der Mann dort bei dem Baum der Erkenntnis gesagt? Gottes Kinder sind ohne Schuld. Wenn ihr das begriffen habt, werdet ihr einander nicht mehr wehtun.

Wie war das wohl zu verstehen?

Der Mann kehrte von der Weide zurück, sie hatte bemerkt, dass er öfters früher heimkam, wenn er grob zu ihr gewesen war.

»Jetzt müssen wir reden«, sagte sie, während sie das Essen auftrug. »Ich will trotz allem versuchen, dich zu erreichen und mich dir verständlich zu machen.«

»Ja«, die Stimme des Mannes war unwillig, aber er wollte zuhören.

»Ich möchte, dass du aufhörst, mich Hure zu nennen«, sagte Eva, und ihre kräftige Stimme begann zu schwanken. »Du weißt ebenso wie ich, dass es für mich keine andere Wahl gab, ich konnte die Vergewaltigungen dieses Mannes nicht verhindern.«

»Ja«, nickte der Mann düster, räumte ein: »Ich bin ungerecht, aber ich will das nicht.«

Eva weinte eine Träne der Erleichterung, auch für den Mann war es gut. Zwischen ihnen war die Wärme zurückgekehrt, noch konnten sie sich von ihren gegenseitigen Schmerzen erlösen.

Dann fuhr sie fort, nun so voller Angst, dass die Stimme hart wurde:

»Auch ich will dich nicht verletzen, aber dir muss endlich klar sein: Wenn ich eine Hure bin, war deine Mutter auch eine. Und der Mann, den du Satan nennst, Kains Vater also, ist vermutlich auch dein Vater.«

Es war ein harter Schlag, aber ihm kamen nun ebenfalls die Tränen. Er warf sich auf den Tisch, an dem er saß, und dann brach es über ihn herein, das große Weinen, die Tränenströme rissen ihn mit sich fort.

Irgendwie schaffte sie es, ihn ins Bett zu bringen, sie gab ihm warmes Wasser mit Honig und Baldrian und hielt seine Hand, bis sich der Schlaf einstellte.

Würde es jetzt leichter werden zwischen ihnen? Ja, sie nahm es fest an.

Am anderen Morgen ging Adam geradewegs zu seinem Altar am Apfelbaum. Eva hörte ihn keine Gebete sprechen, wurde unruhig und ging ihm nach. Er saß am Fuß des großen Baumes.

»Jetzt weiß ich auch, warum Gott mir nicht zuhört«, sagte er. »So jemand wie ich kann gar nicht Gottes Kind sein, wie Gabriel gesagt hat. Du hast ihn falsch verstanden. Deine Mutter und der Schamane waren Kinder Gottes, wir sind es nicht.«

Sie sah zur Sonne hinauf, deren Licht auf dem Laub und den roten Äpfeln spielte, und dachte nach.

»Trotzdem war es ihrer beider Anliegen, die gesamte Horde zu Kindern Gottes zu machen«, sagte Eva. »Aus diesem Grund lebten sie doch dort draußen am Waldrand.«

»Ja«, stimmte er ihr zu. »Aber es ist ihnen nicht gelungen. Nicht einmal bei dir und mir ist es ihnen geglückt.«

»Ich weiß es nicht«, gab sie zurück. »Und doch bin ich Gabriel begegnet. Oft noch höre ich seine Stimme in mir, bis heute. Ich rede und weiß nicht, woher mir die Worte kommen. Später dann weiß ich es und bin dankbar.«

»Was hat er gesagt?« Die Stimme des Mannes war jetzt lebhaft.

Hilf mir, Gabriel, dachte Eva. Hilf mir jetzt um Adams willen. Und dann kamen ihre Worte mit klarer Stimme:

»Er sagt, wir sind alle Kinder Gottes – wir, und ebenso die Menschen in der Horde. Niemand trägt Schuld, das Böse ist nur ein Mangel an Wissen.«

Tief drangen die Worte in den Mann ein und wirkten heilend wie Balsam. Er richtete sich ein wenig auf, sah in die Krone des Baumes und fragte weiter:

»Warum spricht er nicht zu mir?«

Eva versuchte noch einmal die Macht anzurufen, drang jedoch nicht bis zu ihr durch. Schließlich sagte sie mit ihrer gewöhnlichen Stimme:

»Ich weiß es nicht, vielleicht weil du nicht zuhörst.«

Der Mann warf die Hände in die Luft:

»Niemand hört besser zu als ich«, rief er. »So, wie ich Tag für Tag aus Verzweiflung bete.«

Eva wusste, dass es stimmte, wusste aber auch, dass es nicht stimmte.

»Du rufst Gott an«, sagte sie. »Aber ich glaube, es ist die Stimme des Schamanen, auf die du wartest. Er ist tot. Und er hatte in mancher Hinsicht Unrecht.«

Eva hatte sich nun so ereifert, dass sie ihre Vorsicht vergaß:

»Er hat Unrecht gehabt, was die Horde betraf, die Menschen dort sind nicht schlecht, sie können nur nicht zwischen Gut und Böse unterscheiden.«

»Also kann man auch nicht gut sein«, erwiderte der Mann.

»Nein. Aber die Mutter hat sie Kinder des Lichts genannt.«

Noch immer drangen die Worte zu ihm durch, er nickte:

»Ich habe gehört, wie sie es sagte.«

Freudig rief Eva aus:

»Du hast es gehört, du erinnerst dich daran! Es stimmt, verstehst du? In gewisser Weise stimmt es. Sie haben etwas, das uns verloren gegangen ist, Adam.«

»Und was sollte das sein?« Er kämpfte nun mit seinem Widerstand, trotzdem wollte er zuhören.

»Sie haben das Jetzt, sie leben im Jetzt.«

»Du meinst, wie die Kinder?«

»Ja«, sagte sie. »Du glaubst doch nicht etwa, dass Kinder böse sind?«

»Unbesonnen«, antwortete er. »Ohne Mitleid, manchmal grausam, so sind Kinder. Die dort in der Horde werden niemals erwachsen, meinst du das?«

»Ja, irgendwie glaube ich das. Aber etwas hast du bei den Kindern vergessen, Adam. Sie sind so voller Leben, so selbstvergessen. Sie können völlig aufgehen in dem, was sie tun, sie haben ihre Kraft im Jetzt. Erinnerst du dich noch, wie es bei unseren Jungen war?«

Er dachte nach und nickte.

Kurz darauf, als er auf die Felder hinausging, war sein Gang freier. Etwas hatte sich zwischen ihnen beiden aufgetan, sie waren umgeben von einem schwachen Leuchten.

Mittlerweile war es auch Herbst geworden, sie waren somit gezwungen, drinnen zu bleiben, näher beieinander. Eines Abends am Feuer nahm er das Gespräch noch einmal auf.

»Ich habe mich mit dem Gedanken ausgesöhnt, dass ich vielleicht sein Sohn bin, Sohn dieses Satans.«

Es wurde so still, dass sie den Regen draußen auf die Felder niedergehen hörte.

Etwas Wichtiges war gesagt worden, das wusste Eva.

Kapitel 19

Eines Morgens, als es in Strömen regnete, nahm sie sich endlich Zeit, über etwas nachzudenken, das sie lange geahnt, aber immer wieder von sich gewiesen hatte. Etwas war mit ihrem Körper geschehen.

Sie legte die Hände in den Schoß und dachte nach: Seit sie von der Reise zurückgekehrt war, hatte sie keine Monatsblutung mehr gehabt. Allerdings auch keine einzige Liebesbegegnung.

Aber an jenem ersten Nachmittag auf dem Felsabsatz bei dem Wasserfall hatten sie sich geliebt, bevor all das Böse zwischen sie getreten war. Ob es damals passiert war?

Sie dachte an die Frauen in Emers Zelt: Natürlich kannst du wieder einen Sohn bekommen, anstelle des verlorenen. Oder waren es ihre eigenen Worte: Ich möchte so gern ein Mädchen haben …?

Während sie ihrer täglichen Hausarbeit nachging, wuchs in ihr die Gewissheit.

Als der Mann gegen Abend heimkam, waren ihre Hände warm, ihre Stimme weich, die Kleidung zum Wechseln lag für ihn bereit, und das Essen schmeckte.

Er bemerkte sofort die Veränderung, sah es um sie herum leuchten, wurde froh und zugleich ein wenig unruhig.

Doch sie aßen schweigend, wie sie es sonst auch taten.

Sie nahm sich Zeit beim Abräumen des Tisches, ließ sich dann ihm gegenüber auf der Langbank nieder und fragte:

»Erinnerst du dich an den ersten Nachmittag auf dem Felsabsatz, als ich von der Reise zurückkam? Weißt du noch, was wir gemacht haben, bevor all das Schlimme über uns hereingebrochen ist?«

Adam errötete wie ein Junge und war ein bisschen aufgeregt, als er sagte:

»Ja, natürlich erinnere ich mich.«

»Wir haben damals ein Kind gemacht«, sagte sie und konnte kaum ihre Freude in der Stimme unterdrücken. »Dein neuer Sohn wächst in meinem Schoß, Adam.«

Da war auch er voller Freude, sie sah, wie das Leben wieder einen Sinn für ihn bekam. Lange Zeit saßen sie da, hielten sich bei den Händen und schlugen sie lachend auf den Tisch. Dann ging er hinaus und holte das mit Honig gesüßte Bier, das er in der Vorratshöhle zum Reifen gelagert hatte. Zusammen tranken sie, wurden auf einmal sorglos und übermütig.

Als sie beschwipst waren, sich ihnen der Kopf zu drehen begann und ihr ein bisschen übel wurde, legten sie sich gemeinsam ins Bett, und er sagte:

»Heute Abend bin ich richtig froh, dass ich ein Kind des Satans bin.«

Und wieder schallendes Gelächter.

Dann nahm er sie, schnell und rücksichtslos. Sie kam gar nicht mit, trotzdem war es ein gutes Gefühl, als sein Glied zu der kleinen Höhlung vordrang, in der der Junge wuchs.

Aber es kamen auch wieder schlimme Tage, Stunden, in denen harte Worte unbedacht fielen. Am schlimmsten war es an dem Morgen, als er ihr entgegenschrie, der Junge in ihrem Schoß sei wohl ein Hurenjunges, ein Kind des neuen Teufels aus der Hölle dort drüben.

So schwer war die Kränkung, dass sie sie nicht wahrnehmen, sich nicht verteidigen wollte.

»Du sagst ja gar nichts dazu«, rief er, und die braunen Augen funkelten vor Wut und Schrecken.

»Nein«, sagte sie nur. »Ich brauche nichts zu sagen. Gott weiß, dass es nicht stimmt, das genügt.«

Erstarrt sah er zu Boden. Als er aufschaute, hatte sich seine Wut in Schuldbewusstsein gewandelt.

Die gleiche alte Schuld, nur in anderer Gestalt, dachte sie müde. Aber sie schwieg, wollte das Kind in sich nicht noch weiterem Streit aussetzen.

So kam es, dass sie sich immer mehr verschloss und zu dem Kind zurückzog, das sie in sich trug. Sie schwieg, ging dem Mann aus dem Weg und ließ ihn allein.

Ihr tat es weh, er aber lebte auf.

Er nimmt es hin wie eine Strafe, dachte sie, so lässt sich die Schuld leichter ertragen.

Als das Jahr wechselte, wurde ihr Leib runder, stolz streckte sie den Bauch nach vorn. Der Mann wurde immer besorgter um sie, schweigend nahm er ihr die schweren Tätigkeiten ab, gab auf sie Acht, ging ihr oft zur Hand.

Er ist so liebevoll besorgt, dachte sie.

Hin und wieder musste sie über ihn lachen und sagte: »Ich bin doch nicht krank.« An einem bitterkalten, stürmischen Morgen bedeutete er ihr, im Bett zu bleiben, stand selbst auf, machte Feuer im Herd und brachte ihr heißes Honigwasser ans Bett. Es war schön und es wurde ihnen zur Gewohnheit. Bald lernte sie, auch ohne Schuldgefühle die wohlige Bettwärme morgens zu genießen.

»Du verwöhnst mich«, sagte sie.

Er freute sich über die Anerkennung und entgegnete:

»Du bist ja auch nicht mehr so jung.« Als er ihre Verwunderung sah, fügte er noch hinzu:

»Ich mache mir Sorgen um dich, es darf dir nichts passieren.«

»Oh, ich verspreche dir, ich werde es überleben. Wir beide, du und ich, werden noch lange auf dieser Erde sein. Wir brauchen doch die Zeit, bis wir alles herausgefunden haben.«

Der Mann nickte zustimmend, beinahe feierlich.

Es wurde für beide ein schöner Abend, sie konnten über so mancherlei reden und lange beschäftigte sie der wunderliche Gedanke, dass sie nicht wussten, wie alt sie waren. Über die Jahre nach ihrer Flucht wussten sie Bescheid, aber was war mit den Jahren davor?

»Sagen wir mal, du warst ungefähr fünfzehn, ich so um die achtzehn Jahre«, sagte er. »Jetzt werde ich bald vierzig, und du bist fünfunddreißig.«

Eva lachte, sie fand, dass das kein Alter war.

»Dann haben wir mindestens noch hundert Jahre vor uns«, sagte sie übermütig.

Er lächelte sie an, sagte: »Wir müssen auf jeden Fall gesund bleiben, bis unser neuer Junge erwachsen ist.«

Jetzt wagte sie, eine Frage nach der Horde zu stellen.

»Erinnerst du dich an nichts aus jener Zeit, aus all den Jahren dort, bevor dich der Schamane zu sich geholt hat?«

»Nein, ich erinnere mich nicht. Aber manchmal, wenn ich mich freue, kommt da etwas zurück ...«

Eines Abends kam ein Mann aus Emers Stamm zu Besuch. Es war der Sänger, sie erkannte ihn gleich wieder und freute sich. Auch Adam war erfreut, der Mann hatte aber auch noch einen Jungen bei sich, einen Kleinen mit einer geschwollenen Backe und schlimmen Ohrenschmerzen.

Ob sie ihn heilen könne?

Eva machte Wasser heiß, tat etwas Opium hinein und tröpfelte es so warm wie möglich in den Gehörgang des Jungen. Er schrie wie ein Lamm auf der Schlachtbank. Als die Betäubung wirkte und der Junge wegdöste, bat sie den Mann, ihn festzuhalten, nahm den längsten, dünnsten und spitzesten Holzspan, den sie finden konnte, und bohrte ihn wie einen Pfeil durch das Trommelfell. Der Junge zuckte zusammen und schrie, aber der Eiter floß aus dem kranken Ohr. Der Schmerz würde bald abklingen und die Schwellung zurückgehen.

Die Nacht über schlief der Junge in der hinteren Kammer, und Eva bereitete vom Besten, das das Haus zu bieten hatte, ein Essen zu. Der Sänger behandelte sie mit großer Ehrerbietung, und das tat ihr gut. Adam sah es verwundert mit an. Das sollte dir eine Lehre sein, dir, der mich eine Hure schimpft, dachte Eva. In Emers Lager galt sie als bedeutende Frau.

Sie schlief bei dem Jungen, bereit zur Hilfe, wenn er aufwachen und Schmerzen haben sollte. Die Männer saßen noch lange im vorderen Raum am Feuer und unterhielten sich.

Und auf diese Weise hörte sie noch einmal die Geschichte ihrer Vertreibung. Jetzt mit den Bildern und den Worten des Mannes. Wieder wurde ihr die Schuld zugeschoben, sie war es, die ihn mit List weggelockt hatte. Auch erschien ihr die Geschichte in neuen Bildern, die sie nicht wiedererkannte.

So konnte Adam den Fluch des Schamanen wörtlich wiedergeben, aber er ließ durchklingen, Gott selbst habe die schwerwiegenden Worte ausgesprochen. Eva habe mit der gespaltenen Zunge der Schlange gesprochen, sagte Adam. Und sie habe ihn genötigt und verleitet, Früchte von dem verbotenen Baum zu essen. Von dieser Stunde an hatte sie ihn ganz in ihrer Macht.

Die Zunge der Schlange, so ein Quatsch. Eva erinnerte sich an das Spiel mit den Äpfeln, es war während ihres ersten Frühstücks in dem Land jenseits des Flusses. Er, Adam, hatte sich vor dem Apfel merkwürdig gefürchtet, sie hatte ihn geneckt und mit ihm herumgealbert, bis sie ihn schließlich so weit gebracht hatte, einen Bissen zu kosten.

Ein Scherz, ein Spiel war es gewesen. Was für ein komischer Einfall, es könnte etwas Besonderes bedeutet haben. Jetzt aß er beinahe jeden Tag von den Äpfeln.

Auch der Sänger dort vorn nahm die Geschichte nicht sonderlich ernst. Er lachte Adam zu, ein gedämpftes Männerlachen, voller Sympathie und Verständnis.

»Du bist wirklich ein Mannskerl«, sagte er. »Klar, dass da kein

Mann widerstehen kann, hübsch ist sie heute noch. Und wie viel schöner muss sie damals gewesen sein.«

Nach einer Weile stimmte ihm Adam lachend zu.

»Ja, ja, so war es nun mal, kein richtiger Kerl konnte so einer Frau widerstehen.«

Das Gespräch machte auf Eva tiefen Eindruck. Auf diese Weise also bauten sich die Männer ihre Welt auf, sie wählten die Worte, die ihnen gerade recht waren, je nachdem welchem Zweck sie dienten. Und taugte das eine Bild nicht, tauschte man es einfach aus. Adam wollte es großartig haben und tragisch, eine sündige Frau als Verführerin, einen strafenden Gott, der sie verstieß.

Aber der Sänger machte sich nichts aus dieser Malerei, und so wurde schnell ein neues Bild geschaffen, eines, das von dem Mannsvolk mit schlüpfrigem, aufreizendem Lachen begleitet wurde.

Sie wusste, wie es damals tatsächlich gewesen war, der Junge hatte sich freiwillig entschlossen, ihr zu folgen, weil die Liebe zwischen ihnen so stark war.

Aber Liebe passte wohl nicht in die Männerwelt.

Und warum nicht?

Sie hatte geglaubt, Worte seien dazu da, die Welt zu beschreiben. Aber Worte konnte man auch zu etwas anderem gebrauchen, das begriff sie mittlerweile. Worte waren möglicherweise stark genug, sogar die Welt zu erschaffen. Wenn man nur die passenden nahm, sie sorgfältig wählte und alles ein bisschen umformte.

Der Junge atmete jetzt tief und ruhig, hatte aufgehört, wegen der Schmerzen im Ohr zu jammern, und die Männer dort vorn fuhren in ihrer Unterhaltung fort:

»Im Übrigen«, sagte der Sänger, »musst du Gott danken, dass ihr entkommen seid. Man hätte euch, wäret ihr dageblieben, ebenfalls erschlagen.«

»Ja«, entgegnete Adam, »so kann man es auch sehen. Trotzdem ist es schwer zu ertragen, dass ich den Alten im Stich gelassen habe.«

»Was hättest du denn tun sollen? Du musst aufhören, dich deshalb zu grämen, der Alte hätte sowieso nicht mehr lange gelebt«, gab der Sänger zu bedenken.

»Ja, da magst du natürlich Recht haben«, sagte Adam, und die Stimme klang jetzt beinahe froh.

Das habe ich ihm auch schon gesagt, dachte die Frau. Er hatte damals kaum hingehört, jetzt geht es ihm erst richtig auf und wird bei ihm zur Gewissheit. Das ist gut so, trotzdem tut es ein bisschen weh, dass die Worte eines fremden Mannes schwerer wiegen als meine.

Eva glitt bereits hinüber in den Schlaf, da hörte sie noch den Sänger die Geschichte von der Königstochter erzählen, Emers Begegnung mit der Königin des Nordlandes. Wie er in ihrer, Evas, fein gebogenen Nase die der alten Frau in der Hütte des Schamanen wiedererkannt hatte.

Ja, das habe ich vergessen dem Mann zu sagen, dachte Eva müde. Jetzt wird er deshalb gekränkt sein.

Die Gäste mussten am nächsten Morgen zeitig aufbrechen, es würde für den Sänger ein weiter Weg werden mit dem Jungen auf dem Rücken. Dem Kind ging es wieder besser, obwohl ihm noch immer ein wenig das Ohr lief.

Der Sänger verbeugte sich tief vor ihr und dankte für ihre Hilfe, der Mann begleitete die Gäste ein Stück auf dem Weg. Nun nahm die Frau ihre Morgenarbeit wieder auf und spürte dabei eine bohrende Unruhe in der Höhlung unter dem Herzen. Das Nagetier macht sich wieder zu schaffen, dachte sie. Es wird neuen Streit geben.

Aber sie hatte sich getäuscht. Adam ging geradewegs auf sie zu, als sie bei seiner Rückkehr in dem Höhleneingang stand, und sagte stolz wie ein Häuptling: »Dann bist du also eine Königstochter.«

»Ganz und gar nicht.« Eva musste lachen.

»Aber du hast die Königsnase«, sagte der Mann, und in seiner Stimme schwang Achtung mit. »Und Königsblut fließt auch in seinen Adern, bei meinem Sohn dort drinnen in deinem Schoß.«

Eva war viel zu erstaunt für irgendwelche Worte. Zum Glück, denn sonst hätte sie einiges über den Großvater, den Satan, sagen müssen.

Der Mann ging zu dem Apfelhain, und nach einer Weile hörte sie ihn Gott für das königliche Blut danken, an dessen Heiligkeit er durch die Ehe nun teilhatte.

Es ist gut, dass Gott ihn nicht mehr hört, dachte die Frau. Sonst würde ich mich schämen.

Am Abend musste sie von dem Besuch in Emers Lager berichten. Der Anfang war nicht einfach, dann aber wurde sie selbst von all den Einzelheiten gefangen genommen, dem Frauenzelt, den hübschen Kleidern, den Sängern und dem Gespräch am Feuer und wie der Regen auf das Zelttuch niedergeprasselt war.

Immer wieder wollte er die Geschichte von der Königstochter hören. Erst als es Zeit war, zu Bett zu gehen, fiel ihr Emers Heiratsvorschlag ein, und sie erzählte ihm davon.

»Du meinst, er will Kain zum Schwiegersohn haben?«, fragte der Mann.

»Ja, Emer weiß doch von nichts.«

»Er weiß nur von dem Königsblut, das genügt«, sagte Adam.

»Aber was ist mit dem Brudermord?«

»Wir reden nicht darüber«, sagte der Mann. »Im Übrigen war es ja ein Missgeschick, das hast du selbst gesagt.«

Am nächsten Morgen wachte Eva aus einem bösen Traum auf. Adam war gerade dabei, Feuer zu machen.

Sie setzte sich im Bett auf und spürte eine ungeheure Wut in sich aufsteigen.

»Glaubst du eigentlich selbst an all das, was du über die Schlangenzunge und den Apfel gesagt hast, die dich in meine Macht gebracht haben?«, fragte sie und durchbohrte ihn mit ihrem Blick.

»Du hast gelauscht, du Satansweib.«

Aber die Antwort war eindeutig, denn er war tiefrot vor Scham, als er aus der Höhle stürmte.

Kapitel 20

Der Winter ging vorüber, bald zog der Frühling mit Vogelgezwitscher über den Berg. Die ersten flammendroten Blüten des Mohns zeigten sich um den Wohnplatz. Eva war jetzt schon beträchtlich rund und bewältigte kaum noch die Frühjahrsarbeiten auf den Feldern. Der Mann schuftete für zwei, aber das konnte ihm weder seine Freude noch seine Kraft nehmen.

Zwischen ihnen beiden herrschte Frieden.

Eines frühen Morgens setzten schnell und unerwartet die Wehen ein. Verdammt, sie hatte vergessen, dass es so wehtat. Aber alles war vorbereitet, das Wasser stand auf dem Herd, das Haus war geputzt, saubere Tücher lagen bereit, um das Kind darin einzuwickeln.

Sie schickte den Mann hinaus, wollte allein sein, stieß laute Schreie aus vor Schmerz und Jubel, als die letzten Presswehen kamen und das Kind aus ihrem Leib glitt. Sie ließ den Mann hereinkommen, nachdem sie die Nabelschnur durchtrennt hatte, dann durfte er das Kind aufnehmen und waschen.

Als er mit dem Jungen, in frische Tücher gewickelt, zurückkam, war ein Leuchten um ihn.

Das Kind blickte zur Mutter, sah mit den hellbraunen Augen des Mannes direkt in ihre schwarzen. Er ist ein Ebenbild seines Vaters, dachte sie.

Es würde also keinen Streit um seine Herkunft geben und kein Schatten über ihm liegen, während er heranwuchs.

Dann nahm sie das Kind und legte es an die Brust. Und das weiße Licht kam, hüllte sie ein, stärker noch als in den Liebesstunden und gewaltiger als in den Laubwäldern dort draußen. Ebenso kraftvoll wie damals, als ich Gabriel getroffen habe, konnte sie noch denken, bevor das Licht den grübelnden Gedanken ein Ende machte.

Und das Licht blieb, immer, wenn ihr Blick dem des Kindes begegnete, war es da. Es war so seltsam, dass sie einfach keine rechten Worte dafür fand, obwohl sie es versuchte und sich mit Gesang und Reimen herantastete, wie Anja sie es gelehrt hatte: Kleines Kind, ach, wüsst ich doch, woher du kommst, und auch das Licht, das dich umgibt, hier draußen auf der Erde …

Dann musste sie lachen. Das Kind brauchte keine Worte, das wusste sie sehr wohl. Auch konnte es gar nicht antworten. Bis der Junge die Worte gelernt hätte, würde er alles vergessen haben, dachte sie.

Eva sang also Lieder ohne Worte, der weiche Rhythmus und die Töne hüllten sie und das Kind ein, ja, sie verstärkten noch das Band zwischen ihnen.

War der Junge satt und zufrieden eingeschlafen, dachte sie über das Wunder nach. Die Augen des Kindes waren voller Weisheit, Wissen spiegelte sich in ihnen wider. Es war der gleiche Blick wie bei den Menschen in der Horde, wie der der Mutter. Er hat ihr Wissen, dachte sie. Deshalb umgibt ihn so viel Licht.

Was weiß er?

Was ist das für ein Wissen, das er hat?

Das Licht erreichte auch den Mann und schenkte ihm Freude. Eines Morgens trug er den Knaben zu dem Apfelhain, und feierlich übergab er Gott seinen Sohn.

Es war gerade zu der Zeit, als der alte Baum blühte, und Bienen und Blütenduft verstärkten noch die Inbrunst des Mannes, als er sagte:

»Ich übergebe ihn dir und gelobe, dir zu dienen, indem ich für ihn sorge. Und sein Name soll Seth sein.«

Dann fügte der Mann noch hinzu: »Gott, erhöre mich wieder …«

Die Frau legte das Kind an die Brust, überließ sich ganz der Helligkeit und dachte: Vielleicht haben wir nur unterschiedliche Namen dafür, für die innerste Kraft des Lichtes.

Der Mann konnte die Kraft, die von dem Kind ausging, gut gebrauchen, er musste den Acker nun allein bestellen. Und Eva half ihm, die Saatkörner auszusortieren, so konnte auch sie sich an der Arbeit beteiligen.

Aber all das Schwere: die Gemüsebeete bestellen, Schafe scheren, Wolle waschen, musste er allein besorgen – wenn doch Kain hier wäre, um zu helfen, dachte sie.

Mit Seth in einem Beutel auf dem Rücken begann sie dann doch, die Heilkräuter zu ernten und die Samen der ersten Sommerblumen, die es aufzubewahren galt. Das Pflücken der Mohnkapseln war keine große Mühe, im Überfluss wuchsen die opiumhaltigen Pflanzen an den Wegrändern rund um den Wohnplatz. Schwieriger war es mit dem Bilsenkraut. Um einen kleinen Vorrat anzulegen, musste sie den Berg hinaufwandern, zu dem geheimen Platz, wo die Pflanzen mit den seltsamen Kapseln wuchsen. Die Samen des Rizinusstrauches konnte sie auf ihrem eigenen Grund ernten, einen Lederbeutel nach dem anderen füllte sie mit den öligen Perlen, gut gegen Bauchschmerzen, Kopfweh und Geschwüre.

Die Rinde des Feigenbaumes musste in dieser Zeit gesch
Akazien, Koriander, Kümmel, Dill und Anis mussten in Be
abgefüllt werden. Noch war es nicht Zeit für die Nüsse, ab
Freude sah sie, dass zahlreiche Blüten eine reiche Ernte im
versprachen. Dann würde sie sich mit frischem Vorrat
palnüssen eindecken, mit Eicheln, Cyperuswurzeln, W
Scharfgarbe.

Eva ging auf die Felder mit dem vor sich hin plapp
auf dem Rücken, suchte sich ihre Pflanzen, pflückt

te dabei eine freudige Kraft, fühlte sich wieder vereint mit den Mächten, mit den Kräutern und Gräsern, Büschen und Bäumen der Umgegend.

Einen großen Vorrat wollte sie in diesem Sommer anlegen, sie dachte an Anja und die übrigen Frauen in Emers Lager, daran, dass sie versprochen hatte, ihnen beim Erkennen und der Anwendung der Heilkräuter zu helfen.

Und der Junge wuchs heran, Milch hatte sie mehr als genug. Eines Tages lächelte er zuerst sie an und dann den Mann. Tief in ihrem Herzen dankte die Frau für die Kraft dieses Lächelns. Der Mann dankte Gott; er muss seine Dankbarkeit an jemanden richten und sie in Worte fassen, dachte sie.

Zwischen ihnen beiden war jetzt Frieden eingekehrt, ja eine gewisse Feierlichkeit. Die Vertrautheit war verschwunden, die Nähe, die sich selbst bei ihren großen Streitereien eingestellt hatte, auch die warme Hingabe – sie gab es nicht mehr.

Seite an Seite wanderten sie auf der Erde, die sie sich untertan gemacht hatten, ohne Groll, aber auch ohne einander nahe zu sein.

Zuweilen war Eva traurig, dass es nicht mehr so war wie früher. Selbst die Streitereien waren noch besser gewesen, dachte sie hin und wieder.

Aber wenn sie dann dem Blick des Kindes begegnete, wusste sie: Für das Jetzt reicht es aus. Und im JETZT muss ich leben.

Kapitel 21

Eines Tages, Adam hatte sich frühzeitig zu den Feldern aufgemacht, kam aus dem Wald im Norden hinter ihrer Behausung ein Mann zögernd näher. Eva spürte seine Angst, witterte sie entlang des Pfades bis hinunter zu ihr, und sie entfachte ihre eigene Angst: Herrgott, steh mir bei, das Kind, was soll ich tun …

Doch sie schaute genauer hin und da erkannte sie ihn wieder, legte das Kind auf den Boden vor der Höhle und lief dem Mann entgegen. So groß war ihre Freude, dass die Füße nur so flogen.

Dann lag sie, lachend und zugleich weinend, in seinen Armen.

»Du bist also doch gekommen, ach, wie schön, willkommen daheim!«

Kain stand steif und stumm vor ihr, verstand die Freude der Mutter nicht und hatte Mühe, sie anzunehmen. Seine Freude war nur schwach zu erahnen, er konnte sich nur schwer fangen, war bereit zur Flucht. Dann schließlich erreichte die Wiedersehensfreude auch ihn, drang langsam in ihn ein.

Sie lachte, erinnerte sich: Genauso war er immer gewesen, vorsichtig und ein wenig langsam.

Deshalb war ja auch seine Wut an jenem Morgen für sie so unbegreiflich gewesen, dachte sie noch. Und gleich darauf: Wie lange muss die Wut in ihn getropft sein, bis sie in Brudermord umgeschlagen war, wie lange …?

Eva schob ihn von sich, legte ihre Hände auf seine Schultern, sah ihm in die dunklen Augen (wie hatte sie jemals denken können, sie seien böse?) und sagte:

»Sohn, ich muss dich um Verzeihung bitten.«

Er verstand sie nicht, das sah sie. Aber das machte nichts, sie würden noch genügend Zeit haben, zu reden und die Fäden zu entwirren.

Er würde sie verstehen, nicht missverstehen. Eva wusste es, sie kannte ihn, war sich seiner viel sicherer, als sie es jemals bei Adam gewesen war. Blut von meinem Blut, dachte sie, das Blut des wilden Volkes.

Jetzt wich die Angst aus seinen Augen, ein ungewohntes, ein hübsches Lächeln glitt über das angespannte Gesicht.

Zwei Dinge fielen ihr sofort auf: Er hatte die Königsnase, ihre Nase. Und er hatte eine Narbe auf der Stirn, ein feuerrotes Mal.

Sie strich über die Narbe.

»Ich habe mich irgendwann nachts am Feuer verbrannt«, sagte er.

»Bleibst du? Bist du gekommen, um zu bleiben?«

»Ja, Mutter, wenn ich darf?«

Da musste sie ihn erneut in die Arme nehmen, ihre Augen füllten sich mit Tränen: Und ob er durfte, natürlich durfte er.

Gleich darauf bemerkte sie die Schreie des Kindes von dem Vorplatz der Höhle.

»Du hast einen Bruder bekommen«, sagte sie, und Hand in Hand liefen sie zum Höhleneingang, wo sie das Kind aufhob, es beruhigte und in Kains Arme legte.

»Du hast einen Bruder bekommen, einen neuen Bruder.«

Nun kamen auch Kain die Tränen.

Eva würde sich später nicht mehr daran erinnern können, wie sie es an diesem Tag geschafft hatte, das Essen zuzubereiten und auch noch das Kind zu stillen. Nur ein paar Erinnerungsbilder blieben ihr noch: Wie der Mann heimgekommen und die Freude auch auf seinem Gesicht aufgetaucht war, als er den erwachsenen Sohn sah, und dann das Staunen in seiner Stimme, als er sagte:

»Du hast ja die Königsnase.«

Das gemeinsame Essen, knappe Sätze wie:

Ja, er war im Süden gewesen.

Was für Menschen lebten dort?

Bauersleute, so wie sie hier.

Schließlich sagte er:

»Du bist von der Wanderschaft zurückgekommen, Mutter, hast du etwas erfahren?«

»Ja, ich habe viel zu erzählen. Heute Abend, wenn es dunkel ist und das Kind schläft.«

Doch es wurde nicht ganz so, wie Eva es sich gedacht hatte. Die Fragen und Antworten brachten Kain in die Wirklichkeit zurück, holten ihn heraus aus der Verwunderung über den freundlichen Empfang.

Er war jetzt erwachsen, und so ergriff er nun das Wort, malte Bilder von dem großen Bauernvolk dort im Süden, den Menschen, die neue Getreidesorten kannten, andere Rübenarten, größere Ernten einbrachten.

Er hatte Saatgut mitgebracht, und Rüben, die er ein Stück weiter oben auf dem Berg eingepflanzt hatte. Sie mussten jetzt ein neues Stück Land umgraben und die Saat in die Erde bringen, auch wenn es schon spät im Jahr war. Auf jeden Fall hätten sie dann genügend Saatkorn für das nächste Jahr. Sie nannten es Zweikorn oder Emmerweizen.

»Er ist doppelt so ergiebig wie unser altes Korn.«

Verwundert hörten sie dem Jungen zu, nun ein Mann geworden, der dort saß und seine Pläne beschrieb, wie sie das Weideland hier oben rund um ihren Wohnplatz besser nutzen könnten. Unten im Sumpfgebiet, in der östlichen Bucht, würden sie weiteres Ackerland anlegen und Musastauden anbauen, deren süße Früchte man zu Mehl mahlen konnte.

»Süßes, weißes Mehl für Brot, Mutter«, sagte der Junge.

Es wurden anstrengende Tage, Stück für Stück gruben die Männer den neuen Acker um, Eva säte das sonderbare neue Getreide aus, schwer und prall wie ihr schien. Auch das Sumpfland wurde bearbeitet, die Musapflanzen halb unter Wasser gesetzt. Nun hing alles vom Gelingen ab, Samen zur Aussaat im nächsten Frühjahr heranzuziehen.

Eines Tages dann ruhten sie von ihrer Arbeit aus, und Eva konnte endlich mit ihrem Bericht beginnen. Zuerst die lange Geschichte, was alles während ihrer langen Reise passiert war – die Begegnung mit dem Wildvolk, wie die Erinnerungen von der Mutter, dem Schamanen und von Satan zu ihr zurückgekehrt waren. Kain sog jedes Wort in sich auf, unterbrach dann und wann mit einer Frage, wollte Genaueres erfahren.

Es war wundervoll, so zu erzählen, ohne sich zurückhalten, ohne Dinge auslassen zu müssen und ängstlich zu sein. Auch Adam hielt sich in ihrer Nähe auf, ließ den Bericht noch einmal in sich einströmen, bekam ihn diesmal in seiner vollen Länge mit. Jetzt konnte er ihn, nach all dem überstandenen Schmerz, auch annehmen.

Eva sah es und freute sich darüber: Es gibt eine Wahrheit, und sie wird eines Tages über Unsinn und Lügengeschichten die Oberhand gewinnen, dachte sie.

Anders als es bei seinem Vater der Fall war, wurden für Kain andere Dinge wichtig. Der Schamane interessierte ihn kaum, die Königstochter nur am Rande. Aber von Satan wollte er mehr wissen, hier spürte er einen Sog. Wieder und wieder wollte er den Traum von dem toten Kind hören, das eines Nachts zu Eva auf den Baum des Paradieses gekommen war.

Schwieriger wurde es, als sie Gabriels Worte wiedergab: »Wenn du erkennst, dass er ohne Schuld ist, wirst du Frieden finden.«

Kain versuchte zu verstehen: Ohne Schuld, wie konnte er ohne Schuld sein?

Jetzt hängt alles davon ab, wie ehrlich ich sein kann, dachte

Eva. Langsam, wie jemand, der weiß, dass jedes Wort richtig gewählt sein muss, erzählte sie, wie sie allmählich einsah, dass sie ihn, den ältesten Sohn, vernachlässigt und ihn zu einem Fremdling gemacht hatte, weil seine Augen sie zu sehr an das frühere Leben erinnerten, das freie Leben, an das sie sich nicht erinnern durfte.

Wie viel Kain verstand, wusste sie nicht. Zuweilen schien es ihr, als gingen die Worte an dem Kopf des Jungen vorbei direkt ins Herz – und das ist gut, dachte sie.

Auch Kain konnte sie beruhigen: »So schlimm war es nicht immer, Mutter. Als ich klein war, sind wir über die Felder gelaufen, und du hast mir dein Wissen über die Pflanzen beigebracht.«

Er lachte ein wenig und fuhr fort:

»Du hast geredet und geredet, bist manchmal ungeduldig geworden, weil ich nicht schnell genug begriffen habe. Als dann Abel kam und du nicht mehr so viel Zeit hattest, habe ich gedacht, ich bin dir vielleicht lästig geworden, weil ich nicht so schnell lernte. Aber es ist angekommen, ich habe gelernt.«

Sie saßen am Feuer, die Mutter und der erwachsene Sohn, und sahen sich an.

Eva kämpfte mit den Tränen.

Auch er hat gute Erinnerungen, das war wunderbar.

Am nächsten Tag mussten sie Wasser von dem See zum Acker hinaufschleppen, wo das neue Getreide wuchs. Es war angegangen, kleine grüne Spitzen sprossen aus dem Boden. Aber der Sommer war trocken und heiß. Vater und Sohn sprachen davon, Gräben vom See zum Acker zu ziehen und das Wasser hinüberzuleiten, im nächsten Jahr würden sie sich an die Arbeit machen.

Eva trug Seth auf dem Rücken und schwere Wasserkrüge auf dem Kopf, für das Gemüseland, die Kräuter und Heilpflanzen.

Zwischen Kain und Seth wuchs ein starkes Band, der Kleine jubelte seinem Bruder entgegen, wenn dieser von der Arbeit heimkehrte, der hob den Jungen in die Luft, neckte ihn und alberte mit ihm herum.

Alles ist neu geworden, dachte Eva.

Kapitel 22

Eines Abends waren sie in ihrer Unterhaltung bei dem Mord angelangt. Die Männer wollten ausweichen, aber Eva ging direkt zur Sache. Nichts sollte länger verschwiegen werden.

Kains Unruhe wuchs, die schwarzen Augen, die er auf Adam gerichtet hatte, flammten auf in plötzlichem Schmerz:

»Du hast gesagt, Gott hat den Rauch meines Feuers auf den Boden gedrückt. Er wollte ihn nicht annehmen. Ich habe viel darüber nachgedacht, und ich bin bereit, dir Recht zu geben. Dein Gott wollte mich nicht anerkennen.«

Es wurde so still, dass Eva ihr Herz schlagen hörte.

»Dein Rauch wurde auf den Boden gedrückt?«, fragte sie erstaunt. »Was hast du da geopfert?«

»Ich habe Früchte des Feldes geopfert«, antwortete Kain. »Ich war es doch, der den Acker bestellt hat. Abel war für die Tiere da, er hat das Lamm geopfert.«

Evas Blick, hart wie Flintstein, ging hinüber zu Adam.

»Stimmt das?«

Aber Adam wich aus, murmelte nur leise jammernd vor sich hin. Und plötzlich schrie Eva in wilder Raserei:

»Du Satan, du verdammter Lügner. Du weißt ganz genau, dass das Gemüse voller Wasser ist und der Rauch nur schwelt und auf den Boden gedrückt wird. Aber die Wolle auf einem Schafskörper brennt wie trockenes Holz, der Rauch steigt steil in den Himmel.«

Wie immer, wenn der Schmerz für den Mann zu groß wurde, wandte er sich gegen sie:

»Schweig, Frau, so schweig doch endlich. Du urteilst wie Gott selbst, du behauptest, dass die Wahrheit mit den Erfahrungen des Menschen einhergeht. Der Schamane hat mir das von dem Rauch beigebracht.«

Etwas später hörte Eva ihn draußen bei dem Apfelbaum mit seinem Gott sprechen, hörte auch Gott antworten, die Stimme, die sie all die Jahre hindurch vernommen hatte. Jetzt wusste sie, warum sie diese Stimme jedes Mal wieder erkannte. Es war die Stimme des Schamanen, die antwortete.

Seth wachte von dem Geschrei auf, er fing an zu quengeln. Sie nahm das Kind auf, tröstete es und legte es an die Brust. Zum ersten Mal wich das Licht von ihr, als das Kind zu saugen anfing. Der Junge spürte die Unruhe, ließ von der Brust ab und fing wieder an zu weinen.

In dem Höhleneingang stand Kain, schlank und hoch gewachsen. Sie sah seine fein gebogene Nase im Profil als Silhouette gegen den roten Abendhimmel draußen und das Feuermal auf der Stirn, das jedes Mal aufflammte, wenn er erregt war.

Dann verschwand er und kam in dieser Nacht nicht wieder.

Adam kehrte von seinen Gebeten zurück, ruhiger jetzt, und schlief bald ein. Auch das Baby schlief nun. Allein wartete Eva die ganze Nacht auf den Sohn, wusste, dass er da draußen im Dunkeln mit sich kämpfte, welches Urteil er über sie fällen sollte. Nun hing alles davon ab, ob sie ihn dazu gebracht hatte, den Sinn jener Abende zu verstehen, an denen sie miteinander geredet hatten.

Im Morgengrauen kam er zurück. Eva saß in dem Höhleneingang mit tränenlosen Augen und schaute mit leerem Blick zu dem Licht, das die Sonne ankündigte. Er ging auf sie zu, hob sie hoch wie ein kleines Kind, trug sie hinein und legte sie auf das Bett, wobei er flüsterte:

»Es ist gut, Mutter, alles ist jetzt gut.«

Ein heißer Sommer breitete sich um sie aus, nie zuvor hatten sie so viel Wasser geschleppt wie dieses Jahr. Die Männer schufteten wie die Tiere, und die Gespräche am abendlichen Feuer fielen knapp aus.

Etwas war zwischen den Männern geschehen, Kain hielt Abstand. Die dunklen Augen folgten prüfend dem älteren Mann, rechneten mit ihm ab.

Die Frau hatte Mitleid mit dem Mann, empfand Zärtlichkeit für ihn. Zuweilen streckte sie ihre Hand zu ihm aus und drückte die seine. Er lächelte etwas erstaunt. Seine Einsamkeit wählt er sich selbst, dachte sie. Manchmal fühlte sie sich versucht, Kain inständig zu bitten: Sei gut zu ihm.

Aber ganz kamen ihr die Worte doch nicht über die Lippen, dafür war ihr Respekt zu groß vor dem Jungen und all dem, was in ihm vorging und wovon sie wusste.

Eines Abends brachte Eva den beiden Männern Bier zum Ufer des Sees, in dem sie gebadet hatten, und sie hörte Adam sagen:

»Emer bietet dir die Heirat mit einer seiner Töchter dort unten an.«

Wie gewöhnlich dauerte es eine Weile, bis die Worte Kain erreichten, und sie sah ihn langsam bis zum Haaransatz erröten. Adam sah es auch und lachte jenes Lachen, das Eva von dem Gespräch mit dem Sänger her kannte, dieses Männerlachen:

»Hier oben hast du es bestimmt nicht so leicht, nachts so allein mit deinem Glied. Wir müssen dir wohl eine Schlange in einem Käfig anschaffen, bis Emers Tochter kommt und sie befreit.«

Eva mochte nicht die Art, wie sie redeten, konnte auch nicht mitlachen und verstand die Worte nicht. Aber sie sah die Vorfreude des Jungen, und als sie zur Höhle zurückging, dachte sie voller Freude:

Eine Frau für den Sohn, eine Schwiegertochter – ach, das wäre herrlich. Und nach und nach noch mehr Kinder hier oben.

Am nächsten Tag machte sich Kain daran, in einer der anderen Höhlen ein Heim einzurichten, stampfte Lehmziegel und legte damit einen neuen Boden aus, dichtete die Außenwände ab und zog neue Innenwände aus Holz ein, das er aus dem Wald heranschaffte.

Kapitel 23

Auch im Spätsommer blieb der Regen aus, die Hitze war groß, aber die Saat war angegangen dank der mühsamen Bewässerung. Eines Tages kamen Emer und einige seiner Männer, sie sahen düster und sorgenvoll aus.

»Ich habe ein doppeltes Anliegen«, sagte Emer. »Ich möchte das Angebot der Heirat zwischen Kain und einer meiner Töchter einlösen, an der er Gefallen findet.«

Eva sah, dass er eingehend die Königsnase musterte. Der kann mit Recht stolz sein, der den Jungen in seine Familie bekommt, dachte die Frau. Nicht wegen der Königsnase, sondern wegen all der anderen guten Eigenschaften, die der Junge mitbringt.

Aber Emer hatte noch etwas auf dem Herzen:

Sie hätten ja gehört, dass Adam einmal der Lehrling des Schamanen war, des Regenmachers. Ob Adam, bevor sie beide das Unglück traf, genügend darüber gelernt habe und er es versuchen könnte? Emer berichtete, dass dort unten in der Niederung das Wasser für die Tiere ausgeblieben sei, dass die Quellen am Fuß des Berges versiegt und die Bäche ausgetrocknet seien.

»Wir werden wohl bald die Tiere notschlachten müssen«, sagte Emer. »Zu allem Übel ist uns auch das Salz ausgegangen, der Winter wird hart werden.«

Eva sah, wie Adam sich in sich zurückzog, sich in seiner Angst verschloss. Er weiß, dass Gott ihn nicht länger erhört, dachte sie. Im Grunde weiß er genau, dass er an den Abenden dort unter dem Apfelbaum nur mit dem Schamanen spricht.

Jetzt redete Kain, sorgte für eine kleine Atempause, eine Bedenkzeit.

»Ich weiß jedenfalls, woher wir Salz beschaffen können«, sagte er. »Ein Stück weiter im Westen ist eine Lagerstätte voller Salz und leicht heranzukommen. Ich kann deinen Männern morgen die Stelle zeigen.«

Emers Leute nickten, sie waren zu dritt, und mit Kain wären sie vier starke Männer, die das Salz zu Emers Lager hinunterschleppen könnten.

Aber Emers Blick war noch immer auf Adam gerichtet, der wusste, dass er eine Antwort geben musste.

»Ich werde es versuchen«, sagte er. »Versprechen kann ich nichts, aber ich werde es versuchen.«

Warum sagt er nicht, wie es ist, dachte Eva besorgt. Soll er doch einfach sagen: Gott erhört mich nicht länger. Den Fehlschlag würde er nicht überleben, dachte sie weiter und spürte, wie Panik ihren Magen zusammenkrampfte und ihr der Schweiß über die Stirn lief.

Eva bereitete eine Mahlzeit zu mit viel frischem Grün, Fisch, den Kain am Morgen im See gefangen hatte, und frisch gebackenem Brot. Die Gedanken schwirrten um das Alltägliche und Gewohnte, aber ohne einen Halt zu finden. Die Unruhe marterte sie, einmal begegnete sie am Tisch Kains Blick. Sie sah, dass er sie verstand, und zuerst war es eine Erleichterung, dann erfüllte es sie mit noch mehr Unruhe.

Auch er weiß Bescheid, dachte sie.

In der Dämmerung ging Adam mit Schlachtmesser und den Vorrichtungen für ein Feuer zum Opferplatz. Er wolle allein sein, sagte er, niemand solle ihm folgen. Es könne lange dauern, vielleicht die ganze Nacht.

Die Menschen, die in der Höhle am Feuer zurückgeblieben

waren, versuchten ein Gespräch in Gang zu halten, und lange Zeit floss auch die Unterhaltung zwischen Kain und Emer hin und her.

Kain erzählte von dem Bauernvolk im Süden, und Emer pflichtete ihm bei:

Ja, er habe von ihm gehört.

Eva hatte Seth mittlerweile in der inneren Kammer in den Schlaf gewiegt, aber die Sorge trieb sie wieder zu den anderen hinaus und schließlich ganz aus der Höhle. Dann lief sie zurück, um die Becher der Männer neu zu füllen, die Angst trieb sie um, die Stunden schlichen dahin.

Plötzlich hatte sie eine Eingebung und schnell entschloss sie sich zu handeln. Leise bat sie Kain, ein Ohr auf das schlafende Kind zu halten, verließ still die Höhle, von den Gästen unbemerkt, so hoffte sie. Sie lief zum Apfelhain, blieb vor dem größten Baum stehen und grüßte ihn, wie sie einen unbekannten Baum immer begrüßte: Beide Hände an den Stamm gelegt, mit der Stirn dazwischen. Aus ihrem innersten Wesen kamen die Worte:

»Gabriel, der du einmal schon zu mir gesprochen hast, hilf dem Mann in dieser Stunde. Du weißt, dass er es nicht überlebt, wenn es ihm nicht gelingt. Gabriel mach, dass Gott Adam erhört.« Auch ganz einfache Frauenworte fielen ihr ein:

»Du Lieber, Guter, sei nicht böse auf ihn. Er ist wie ein kleiner Junge, der sich in seiner Schuld verrannt hat.«

Dazwischen liefen ihr die Tränen über das Gesicht, sie dankte verlegen für Kains Rückkehr, für die Ratschläge, die sie durch ihn bekommen hatte, wollte sagen, dass sich alle versöhnt hätten, so wie er, Gabriel, es ihr einst vorausgesagt hatte, zögerte mitten im Satz und dachte: Er weiß es bereits.

Schließlich schwieg sie, auch das Weinen und die Sorge verebbten und legten sich. Dieses Mal war sie gewiss, dass das Licht von innen kam, dass tief in ihr das weiße Licht erstrahlte – in dem

Hohlraum unter dem Herzen, wo sonst das Nagetier seine Bleibe hatte.

Lange Zeit stand sie ganz still. Als sie zur Höhle zurückging, begleitete sie das Licht, und noch ehe sie den Höhleneingang erreicht hatte, zuckte ein Blitz über den Himmel.

Die Männer in der Höhle fuhren auf, atemlos vor Staunen, als das Donnergrollen über sie hinwegrollte. Länger als eine Stunde standen sie vor der Höhle, hörten den Wind immer stärker durch die trockenen Baumkronen rauschen, spürten die Kühle vom Himmel herab, der sich verdunkelt hatte, und bemerkten die Stille über der abwartenden Erde. Dann fielen die ersten Tropfen …

Unter dem herabrauschenden Regen kam Adam über die Felder gelaufen, sein Gang war jung und der Rücken aufgerichtet. Er ist müder, aber auch glücklicher als je zuvor in seinem Leben, dachte die Frau.

Emer und seine Männer gingen ihm entgegen und verbeugten sich vor ihm. Lange standen sie dort im Dunkeln und im Regen und dankten den Mächten. Sie werden sich einen Schnupfen holen, überlegte Eva, wollte aber die feierliche Stimmung nicht mit ihrem Rufen durchbrechen, sie sollten hineingehen, ans wärmende Feuer.

Sie selbst ging zur Höhle, in deren Eingang Kain stand. Seine dunklen Augen begegneten den ihren:

Ich weiß es, wollten sie sagen.

Nein, wir wissen es nicht, weder du noch ich, bedeuteten ihre Augen zurück.

Dann gingen sie hinein und legten neue Scheite auf das Feuer.

Am nächsten Tag regnete es noch immer, trotzdem zogen die Männer mit Kain zum Salzlager. Emer und Adam trafen eine Vereinbarung wegen der Hochzeit. Kain würde bereits jetzt Emer begleiten, nach dem Mondwechsel sollten Adam und Eva mit Seth zu dem Lager nachkommen.

»Wir werden uns an derselben Quelle niederlassen, an der du uns das Jahr zuvor besucht hast«, sagte Emer zu Eva, die zustimmend nickte – ja, sie würde den Weg schon finden.

Es ist erst ein Jahr her, dachte sie verwundert.

Nachdem die Männer und Kain sie verlassen hatten, wurde es still um die drei Menschen dort oben auf dem Berg. Adam war seit jenem Regenabend noch immer in feierlicher Stimmung.

Vielleicht behält er sie jetzt sein Leben lang bei, dachte Eva eines Abends, als sie ihn würdevoll und feierlich zu dem Apfelhain gehen sah, um zu beten.

Kapitel 24

Aber ganz so schlimm kam es doch nicht. An dem Tag, als sie den Felsabsatz erreichten, legte Adam seine feierliche Stimmung ab, schaute über die weite Landschaft, den Fluss und die Bäume in weiter Ferne und lachte, jetzt wieder voll weltlicher Freude.

Sie bereiteten dem schlafenden Kind ein weiches Bett in einer Felsspalte und liefen, wie sie es immer getan hatten, sofort zu dem Wasserfall. Unter dem glitzernden Strahl kehrte auch das Lied zu ihnen zurück: Ich will, willst du auch …?

Später dann lagen sie glücklich und zärtlich beieinander, wieder und wieder drang sein Glied in sie ein, wieder und wieder kam das Licht und nahm sie beide mit sich fort.

Schließlich waren sie erschöpft und lachten leise, lachten einander an.

»Wenn es diesmal ein Kind wird, möchte ich ein Mädchen haben«, sagte sie, und er nickte und lachte wieder. »Ja, ein Mädchen, wie sie – Eva, die Starke.«

Jetzt wachte Seth auf, schrie nach der Mutter, hatte Hunger. Geistesabwesend zog sie die Kleider über, nahm das Kind auf und legte es an die Brust. Saß dort und blickte über den Fluss, hinüber zu dem Hain im Osten, der Mann entzündete in der Zwischenzeit ein Feuer und bereitete ihr Nachtlager.

Vieles wurde mir in dem Jahr seit der letzten Reise genommen, dachte die Frau und wusste, die Vertrautheit würde nicht allzu lange vorhalten. Die meiste Zeit, die ihr und dem Mann noch verblieben, würden sie Seite an Seite verbringen, mit seltenen Begegnungen so wie heute.

Aber vieles wurde mir auch gegeben, dachte sie. Der Junge hier an meiner Brust und Kain, der bald eine Frau heimführen würde.

Und doch war das Beste an dem vergangenen Jahr noch etwas anderes gewesen: Sie hatte stärker gelebt.

Sie hatte sich gut eingeprägt, was sie auf der Reise damals gelernt hatte, und sie beide waren im Hier und Jetzt gewesen, in guten und in schlechten Stunden. Und keine ängstlichen Grübeleien mehr, die hatte sie glücklicherweise fast ganz hinter sich gelassen.

Das Vertrauen ist in mir gewachsen, dachte sie. Lange ist es her, seit ich so gesessen und nachgesonnen habe über das Gewonnene und Verlorene. Und sie lachte spontan ins blaue Dämmerlicht hinaus.

Verwundert sah sie der Mann an, auch er war in vergnügter Stimmung.

»Worüber lachst du?«

»Ach, ich fühle mich so glücklich, vereint mit der Erde, dem Fluss dort unten, jetzt, in diesem Augenblick.«

Der Mann schüttelte den Kopf, verstand sie nicht, war beunruhigt.

»Vereint im Pakt mit den Mächten«, sagte sie, »mit all den Kräften, die uns umgeben, die in uns sind.«

»Es gibt nur eine Macht: Gott«, sagte der Mann, und sie bemerkte die Kühle, wusste, dass er dabei war, sich wieder das feierliche Gewand überzuziehen.

»Ja natürlich«, sagte sie und lachte wieder. »So kann man es auch nennen.«

Im Stillen dachte sie: Er hat ja Recht. Aber Gott ist nur ein Wort, das einschränkt. Jene Kraft auf der Erde und im Himmel wirkt, ohne dass wir ihr einen Namen geben.

Zu ihren Füßen leuchtete es flammend rot, es war das Alpenveilchen, das Spätsommerveilchen, das hier im feuchten Umfeld des Wasserfalles gut gedieh. Sie dachte zurück an die ersten Blumen, die sie beide bei der Wanderung vor langer Zeit hier oben gesehen hatten. Nie wieder hatten sie das ganze Wesen einer Blüte in dieser Weise wahrgenommen. Eine Ahnung des Wunders erlebt sie auch heute noch zuweilen, wenn sie auf den Wiesen draußen eine neue Pflanze entdeckt, sich über sie beugt, sie mit den Händen umfasst, betrachtet und sie nach dem Namen befragt.

Weiß sie ihn dann, wird die nächste Begegnung nur noch zu einer Wiederholung.

Mit den Worten verlieren wir die ursprüngliche Wahrnehmung, dachte sie. Sie geben mehr Sicherheit, das ist schon richtig. Nur das, was einen Namen hat, wird für uns wirklich.

Wirklich und eingeschränkt.

Während der vergangenen Tage hatte sie viel darüber nachgedacht, was sie unter dem Apfelbaum beobachtete, als sie Gabriel gebeten hatte, dem Mann beim Regenmachen zu helfen. Damals war das Licht aus ihr selbst herausgeströmt.

Es entsprang dem Vertrauen, das sie gespürt hatte, dachte sie bei sich. Genauso, wie das Licht jedes Mal aus den Augen des Säuglings strahlte, jenes Vertrauen, das von dem Jungen ausging, sobald er an ihrer Brust lag, ohne jeden Zweifel darüber, dass er von ihr zu trinken bekommen und beschützt werden wird.

Sobald er die Worte erlernt, wird er beginnen, Fragen zu stellen, dachte sie. Verlieren wir vielleicht mit den Worten das Vertrauen? Jenes Vertrauen, das das Volk in den Laubwäldern dort drüben noch immer besitzt?

Mutter, dachte sie auf einmal. Mag sein, dass der Sinn des Ganzen ein völlig anderer ist, als du geglaubt hast. Vielleicht stimmte es ja gar nicht, dass du und der Schamane dem Volk des Lichts die Worte bringen solltet, im Gegenteil – vielleicht sollte sich die Menschheit zum Paradies aufmachen, um sich von dort das Licht zu holen.

Wieder musste sie lachen.

Wenn es so ist, dann war euer Vorhaben doch erfolgreich, Mutter. Jetzt ist das Licht hier draußen in der Welt, ich trage es bei mir, auch Seth und Kain.

Und was ist mit Adam?

Mutter, warum hast du dich mit dem Schamanen zusammengetan?

Eva stillte das Kind und blickte zu ihrem Mann, der soeben das Feuer angezündet hatte, der dort saß und blies und es überwachte. Sie sah ihn zärtlich an und wusste: Auch er hat das Licht in sich. Ich grenze ihn aus, indem ich alle seine Sorgen und Schuldgefühle beurteile und verurteile.

Sein Innerstes wird mir immer verborgen bleiben. Ich nehme ihn nicht wahr und verleugne ihn, deshalb verleugnet er sich selbst.

Er ist ja immer noch der Junge mit dem hellen Schimmer in den braunen Augen, ich sehe es, wenn er sich freut und wenn er bei mir liegt.

Ich muss versuchen, aus der Mitte meines Lichts direkt in seins zu sehen.

Mittlerweile hatte sich die Welt in warme, weiche Dunkelheit gehüllt. Das Kind schlief satt und zufrieden. Der Mann hatte das Essen herbeigeholt und es über dem Feuer gewärmt. Sie aßen schweigend, Eva noch immer gefangen von ihren seltsamen Gedanken. Plötzlich sagte er:

»Hier war es, wo ich dich geschlagen habe.«

»Du hast geglaubt, du wärest dem Schamanen gegenüber schuldig.«

»Geglaubt?«, die Stimme des Mannes wurde laut, und wütend

fuhr er fort: »Warum leugnest du die Schuld, Frau, es gibt sie doch, und sie quält uns jeden Tag.«

Eva sah ihn lange im Schein des Feuers an und dachte an Gabriels Worte: Bis ihr begriffen habt, dass ihr ohne Schuld seid, werdet ihr einander viel Böses antun.

Dann schliefen sie, das Kind zwischen sich, tief und fest.

Kapitel 25

Im ersten schwachen Licht des Morgens wachte Eva langsam auf. Das Kind schlief noch. Lange blieb sie still liegen, ließ sich vom Gesang des Wasserfalles trösten und dachte: Ich kann den Mann nicht erlösen, er muss selbst seinen Weg aus der Schuld finden. Tut er es nicht, ja, dann muss auch ich damit leben. Es ist schwer zu verstehen und sich damit abzufinden, meine Freude kann man mir jedoch nicht nehmen. Sie hängt im Grunde nicht von einem anderen Menschen ab.

Es würde ein warmer Tag werden, sie mussten den Berg hinter sich gelassen haben, noch ehe die Sonne die Südseite und den Wildpfad beschien, dem sie folgten.

Sie machte Frühstück, weckte den Mann, drückte ihren Kopf in das Bündel mit dem Kind, plapperte ein wenig mit ihm und wurde belohnt. Der Junge wachte auf, lächelte sie an und streckte die Ärmchen zur Mutter aus. Wie zart er war, sie wickelte ihn aus, trug ihn zum Wasserfall, hielt ihn lachend im Arm und stellte sich unter das herabrauschende Wasser …

Sie beschützte ihn mit ihrem Körper, trotzdem bekam er Angst und schrie, hielt aber seine Augen fest auf die der Mutter gerichtet, dann lachte auch er.

Adam sprach sein Morgengebet auf der feuchten Wiese hinter dem Wasserfall, kam gestärkt zurück, auch er froh über den Tag. Sie packten ihre Sachen zusammen, Eva trug das Kind und er die Geschenkbeutel mit den Heilkräutern für Emers Leute.

Viel Mühe und manches Kopfzerbrechen hatten ihr die Säckchen bereitet. Sie wusste, dass sie mehr waren als nur eine Begrüßungsgabe. Würde sie Emers Volk aber auch beibringen können, die heilenden Pflanzen richtig anzuwenden? Sie mussten lernen, dass Rizinussamen gegen Bauchschmerzen waren, die zerriebene Feigenrinde, wenn man sie mit etwas Bilsenkraut vermischte, gegen Geschwüre half, und die zerkleinerten Nesselblätter das Fieber senkten.

Schließlich war ihr noch die Idee gekommen, die Lederbeutel zu verzieren, und sie hatte mit glühendem Kienholz kleine Figuren hineingeritzt. Ein Mann mit Kopfweh war leicht zu behandeln, Leibschmerzen gingen auch noch, aber würden sie daran denken, dass ein Mensch, der flach und matt auf dem Boden lag und von dessen Stirn und Handgelenken nach ihrer hergebrachten Meinung Donnerkeile ausgingen, einfach nur Fieber hatte?

Und was würde passieren, wenn sie etwas falsch machten?

Sie musste mit Anja reden.

Dann begannen sie hinunterzuklettern. Das schwere Gepäck schlug gegen den Rücken des Mannes, für Eva aber war es noch schwieriger, sie musste das Kind im Arm halten und kämpfte dabei mit dem Gleichgewicht. Sie fand nur mit Mühe sicheren Tritt für die Füße, schließlich wurde der Abstieg so beschwerlich, dass sie das Bündel mit dem Kind auf den Rücken nahm. Wie sie erwartet hatte, fing es an zu schreien, denn ihm wurde das Gerüttel zu viel.

Häufig mussten sie Pausen einlegen, und es dauerte mehrere Stunden, bis sie den letzten Felsabsatz erreicht hatten, verschnaufen konnten und endlich ihren Durst löschten. An diesem Platz fanden sie auch zu ihrer Vertrautheit zurück, als sie sagte:

»Erinnerst du dich? Hier war es, wo wir den Blumen Namen gegeben haben.«

»Ja«, nickte der Mann, und in seinem hellen Lächeln war nichts mehr von Schuld zu erkennen.

Wir sollten einmal gemeinsam zum Paradies gehen, dachte die

Frau. Das würde ihn vielleicht von seinen düsteren Vorstellungen endgültig erlösen und ihm die Freude zurückgeben.

Als sie schließlich die Ebene erreicht hatten, wartete eine Überraschung auf sie. Kain war dort mit einem Mädchen und einigen Eseln für das letzte Stück Weg.

Eva hatte nur Augen für das Mädchen, und der Blick sollte, wie schon einmal bei einer anderen Frau, sagen: Ich bin deine Schwester …

Diesmal wurde die Botschaft aufgenommen, die jungen Augen gaben zurück: Und ich bin deine Tochter.

Lange standen sie so, sahen einander an und wussten, sie beide würden vieles teilen – Freude und Arbeit, Frauenängste vor der Entbindung und Schmerzen, Sorge und Kummer. Dann ging Eva auf das Mädchen zu, streckte ihm die Hände entgegen und legte die Stirn an die ihre.

Erst als Eva ihren Sohn begrüßt hatte, sie Stolz und Freude in seinen Augen bemerkte, sah sie das Mädchen ganz an, nun waren die Augen auf deren Äußeres gerichtet: Hübsch war sie, klug und von schlankem Wuchs. Sie konnte diesen merkwürdigen Jungen gut verstehen, auch das, was einmal sein Schicksal werden sollte.

Sie hieß Letha.

Gemeinsam aßen sie ihre erste Mahlzeit, Brot, das Eva mitgebracht hatte, Dörrfleisch und Wein von Letha. Das Mädchen kümmerte sich mit weichen, geübten Händen um Seth, nachdem Eva ihn gestillt hatte. Dann ritten sie zum Lager, wo sie mit großen Ehren empfangen wurden.

Es war ein großartiges Hochzeitsfest, alles, was man aufbieten konnte, kam in dem größten Zelt auf den Tisch. Vieles wurde gesagt, vieles besungen, und immer wieder auf das Glück des jungen Paares getrunken.

Kain hielt sich sehr gerade, war aufmerksam – schlank und hübsch ist er, dachte Eva voller Stolz, als sie sah, dass von der

Seite, auf der die Frauen saßen, so mancher bewundernde Blick zu ihm hinüberging. Emers Sänger stimmten immer wieder das Lied von der Königstochter und dem Wilden Volk an – jetzt mit einem neuen Schluss. Eva vernahm, wie die Königstocher vor dem Satan geflüchtet war, wie verführerisch schön sie gewesen war, als sie den Lehrling des Schamanen mit sich fortgelockt hatte. Sie sah die Wolke über Adams Stirn und dachte: Das ist jetzt seine Sache, er hat es so gewollt. Auch dachte sie, und sie war ebenso erstaunt wie zuvor schon einmal: Das machen die Männer also aus den Worten, es klingt schön, aber mit der Wahrheit hat es wenig zu tun.

Das Schönste an dem Fest war die Begegnung mit Anja, der wundervollen Anja. Und die Freude war groß, als Anja sagte:

»Letha ist meine Jüngste, sie ist so spät geboren, dass ich damit das Schicksal herausgefordert habe.«

»Jetzt sind wir also eine Familie«, sagte Eva und lachte glücklich.

»Wir beide werden auch gemeinsam für unsere Enkelkinder singen.«

Sie saßen da und hielten sich bei den Händen.

»Ist er ein guter Junge, dein Sohn?«, fragte Anja.

»Und ob er das ist.« Eva sagte es sicher und bestimmt.

»Ich mache mir Sorgen um das Mädchen, verstehst du. Sie ist ein eigensinniges Kind, weich und hart zugleich.«

»So, wie meine Mutter von mir gesagt hat.«

Und die Frauen lachten.

»Wird er sich mehrere Frauen nehmen?«

Eva war so verblüfft, dass sie sich mit einem Ruck aufrichtete.

»Mehrere Frauen, bist du verrückt?«

Anja lächelte, wie es Eva schien, ein wenig beschämt.

»Die Männer hier machen das«, sagte Anja. »Ich bin Emers älteste, und es ist nicht immer leicht gewesen. Ich möchte Letha dieses Schicksal gern ersparen.«

»Bei uns nehmen sich die Männer nur eine Frau«, sagte Eva. »So lange ich lebe, werde ich dafür sorgen, dass es so bleibt.«

»Bei uns gibt es nur einen Gott«, sagte Adam und wandte sich dabei an Emer, als sie am letzten Abend noch einmal an dem Langtisch saßen. Er sagte es mit großem Eifer.

Aber Emer, der viele Becher Wein getrunken hatte, war streitsüchtig und sagte eindringlich zu Eva:

»Du als Königstochter musst doch wissen, dass man den Flussgott und den Gott der Ebene, die Sonne und den Mond anhört und zu ihnen betet.«

Eva bemerkte Adams Angst, ihr fiel das Gespräch auf dem Berg ein, bei dem sie über den Pakt mit den Mächten gesprochen hatten, und plötzlich verstand sie die Unruhe, die sie damals schon in sich gespürt hatte.

»Nein«, sagte sie. »Es gibt nur einen Gott, aber er ist im Wasser des Flusses und in dem Gras der Ebene, im Licht der Sonne und der Sterne.«

Lange Zeit wurde es still. Dann war erneut Emers Stimme zu vernehmen, jetzt ein wenig nüchterner:

»Wie nennst du ihn, Frau?«

»Ich nenne ihn Ich Bin«, gab Eva zur Antwort und verstand selbst nicht, woher die Worte kamen.

Kapitel 26

Nie war eine Heimreise unbeschwerter gewesen als diese, denn es gab viel Grund zur Freude, und munter plätscherten die Gespräche dahin, hauptsächlich zwischen den Frauen.

Natürlich lag es auch an den beiden Eseln, die Letha als Geschenk für die neue Verwandtschaft mit sich führte.

Eva genoss den Ritt, das sichere Getrappel der Esel. So ließ es sich gut vorankommen, ohne dass Körper und Beine ermüdeten. Erst recht staunte sie, als sie den Wildpfad oben auf dem Berg erreichten und der größere der beiden Esel, noch immer mit Eva und Seth auf dem Rücken, den Hang bis ganz hinauf schaffte. Doch ganz so sicher fühlte sie sich nicht, musste sich gut an der Mähne festhalten, um nicht herunterzufallen. Aber Schritt für Schritt stieg der Esel bergauf.

Die anderen benutzten ihre eigenen Beine zum Klettern, der kleinere Esel schleppte die übrigen Lasten – Lethas große Beutel mit Kleidern, sodann das Bettzeug, die Decken, einen kleinen Webstuhl – viel sinnvoller, als der, den Eva besaß.

»Du wirst mir beibringen müssen, wie man Muster webt«, sagte Eva, die an die hübschen Decken und Kleider im Lager damals dachte.

Und Letha nickte stolz.

Diesmal mussten sie erst rasten, nachdem sie den obersten Felsabsatz erreicht hatten, und nun war es Letha, die staunend die Welt von hier oben betrachtete. Lange stand sie da, hingerissen von der weiten Landschaft und den riesigen Schleifen, die der Fluss dort unten durch die Ebene zog.

»Ich wusste nicht, dass die Welt so groß ist«, sagte sie, und Kain, der für die Welt kein Auge hatte, nur für sie, musste lachen und nahm sie in den Arm.

Während sie ihren Proviant aßen, sagte Eva:

»Ich möchte, dass ihr beide die Esel nehmt und vorausreitet. Adam und ich kommen nach, so gut uns die Füße voranbringen.«

Kain sah sie dankbar an. Letha lächelte und zwinkerte Eva zu, sie verstand gut, dass Eva ihr ein Geschenk machen wollte. Sie und ihr Mann sollten allein ihr neues Heim in Besitz nehmen dürfen.

Auch Adams Miene hellte sich auf, er wollte den restlichen Weg in Ruhe weiterwandern, allein mit seiner Frau. Noch hatte er sich nicht an die Frau des Sohnes gewöhnt, tat sich schwer mit den jungen Augen, die ihn neugierig und zugleich verständnisvoll beobachteten, forschend und wissbegierig.

Sie merkt, dass zwischen den Männern etwas Ungeklärtes ist, dachte Eva. Nun ja, sie muss es nach und nach selbst herausfinden, wenn es für sie wichtig ist. Meine Sache ist es nicht.

Aber auf ihrer Stirn bildete sich eine besorgte Falte, als sie den jungen Leuten mit den Blicken folgte, während die beiden den Felsgrat entlangritten. Würde der Junge den Mut aufbringen, der Frau zu erzählen, wie der Bruder starb? Würde zwischen ihnen volles Vertrauen herrschen, auch wenn er es verschwieg?

Meine Sache ist es nicht, dachte sie wieder und schob entschlossen den Kummer von sich, freute sich stattdessen an dem, was um sie herum geschah. Gut, dass ich sein zukünftiges Heim in Ordnung gebracht habe, überlegte sie, und sie dachte an die neuen Decken, die sie auf den Langbänken ausgelegt hatte, an das Bettzeug aus Wollgras in der Schlafkammer, das frische, duftende Laub in dem Krug an der neuen Feuerstelle.

Letha sollte das Gefühl haben, dass sie willkommen war.

Gegen Abend kamen Adam und sie, mit Seth auf dem Rücken, zu Hause an. Sie sah die gelben Kornfelder in dem schrägen Sonnenlicht leuchten, den See, die Gemüse- und Kräuterbeete, die Apfelbäume, die sich unter der Last der Früchte bogen, und Eva fühlte sich stolz.

Hier war es wundervoll, Letha würde nicht umhinkommen anzuerkennen, dass sie eine gute Partie gemacht hatte.

Und die Freude des Mädchens war nicht zu übersehen, aber auch ein bisschen Angst war dabei.

»Ach, Mutter«, sagte sie, »ich muss mich erst einmal zurechtfinden, es gibt so vieles, was ich nicht verstehe und noch nicht kann. Du musst es mir beibringen.«

Eva nickte, aber eigentlich hatte sie die Worte gar nicht richtig gehört, nur diese beiden: »Ach, Mutter ...«

Sie merkte, wie ihr die verflixten Tränen kamen und ihr, wie jedes Mal, den Blick trübten. Sie strich verlegen über die Wange des Mädchens.

»Es wird ein Kinderspiel für dich sein.«

»Ich lerne schnell.«

Wie jung sie ist, dachte Eva.

Sie nahmen ihre erste gemeinsame Mahlzeit in dem neuen Haus ein, Dörrfleisch und Käse, Brot und Gemüse, das Eva aus ihrer Vorratskammer geholt hatte. Adam kam spät zu Tisch, er hatte noch die Tiere versorgt. Die beiden Männer redeten über die Ernte, die bald eingebracht werden musste.

»Wir müssen tiefe Gruben ausheben, um im Herbst all das Korn zu lagern«, sagte Adam.

Kain berichtete von den Speicherhäusern, die das Volk im Süden aus sonnengetrocknetem Lehm baute, und er redete sich in Eifer, malte mit den Händen in der Luft nach, wie er sich den Bau vorstellte.

Auch Adam wurde von der Begeisterung angesteckt, hörte genau zu, stellte Fragen und legte alle Feierlichkeit ab – ließ sie eine Weile hinter sich, als Lust und Interesse ihn mit sich fortrissen.

Noch ehe der Abend verstrichen war, hatten beide Männer den Bau beschlossen, schon am nächsten Morgen wollten sie anfangen.

Jetzt schrie Seth nach seiner abendlichen Mahlzeit, kein Wunder, dass der Junge quengelig und müde nach der Reise war. Als Adam eine Stunde später zu den beiden hinüberkam, schliefen Mutter und Sohn bereits tief und traumlos.

Kapitel 27

Noch nie hatte Eva so viele Worte gebraucht wie in dieser Zeit. Den Namen jedes einzelnen Baumes, jeder Gemüsesorte und die Anwendung all der Kräuter musste sie Letha beibringen. Die beiden Frauen liefen durch den Hain und wechselten sich dabei mit dem Jungen auf dem Rücken ab, gingen dorthin, wo die Balsamsträucher wuchsen, die bald ihre Blätter verlieren würden, über die abgeweideten Wiesen zu den Zedern, pflückten Iris, gruben die Knollen der Drachenwurz aus, sammelten die Früchte der Koloquinte, so groß wie Äpfel, um die Kerne aufzubewahren.

Eva erklärte und machte es ihr vor, Letha wiederholte und machte es ihr nach. Sie war gelehrig, so wie sie es von sich gesagt hatte, ordnete alles fein säuberlich in ihrem Gedächtnis. Nur manchmal wurde es ihr zu viel, dann sträubte sie sich, fasste sich an den Kopf und sagte lachend:

»Da passt nichts mehr hinein, Mutter. Du musst ein bisschen warten.«

Sie hatten viel Spaß miteinander, und das Vertrauen zwischen ihnen wuchs.

Eigentlich hatte sich Eva nie einsam gefühlt, jetzt kam es zuweilen vor, dass sie dachte: Wie bin ich früher nur allein mit all dem fertig geworden?

Sie ernteten Zwiebeln, Porree und Knoblauch und packten alles in große Beutel, die sie in die Vorratshöhle schafften.

Letha konnte den Geruch kaum ertragen, zum ersten Mal war ihr ein Zögern anzumerken, und als beide eine Verschnaufpause einlegten, sagte sie:

»Als Kind habe ich gelernt, dass in den Fußspuren des Teufels Knoblauch wuchs, nachdem er das Paradies verlassen hatte. Wir haben ihn nur benutzt, um bei Vollmond den Zauberspuk zu vertreiben.«

Eva wunderte sich über diese merkwürdige Lügengeschichte.

Am Abend ließ sie es sich noch einmal durch den Kopf gehen, versuchte sich zu erinnern. Sie dachte an ihn, den Satan ihrer Jugendzeit und seine unersättliche Wollust. Hatte ihn nicht ein Geruch von Knoblauch umgeben? Ja, sie konnte den Duft von weither in ihr Gedächtnis zurückrufen, erinnerte sich an den bissigen Zug um den Mund, immer hatte er auf etwas herumgekaut – waren es Zwiebeln gewesen?

Ein paar Leute aus dem Hirtenvolk waren ihm hin und wieder begegnet, sie hatten den Geruch ebenfalls wahrgenommen. Auf diese Weise, dachte Eva, setzt sich also eine Geschichte fort, wächst und bekommt einen anderen Inhalt. Das ist nun mal der Lauf der Dinge, wenn Menschen ihre Mythen schaffen.

Kain und Adam sahen von den beiden Frauen tagsüber nicht viel, sie stampften unten am See Lehm für die Ziegel und bauten den Getreidespeicher auf. Eine niedrige Öffnung als Tür zu ebener Erde, ganz oben eine Luke, wohin eine Leiter führte, so hatten sie es sich vorgestellt. Sie würden hinaufklettern und das Getreide von oben einfüllen und später der Öffnung zu ebener Erde so viel entnehmen wie sie benötigten. Trocken würde der Speicher werden und schön wie eine Schatzkammer, sagte Kain.

Eines frühen Morgens machten sich die Frauen auf den Weg zu dem lang gezogenen Vorsprung bei der Felswand. Auf halbem Weg zum Wasserfall befand sich ein Steinblock, von dem Eva ein paar Mal im Jahr die Flechten abkratzte, eine gelbe Flechte, die säuerlich und etwas eklig roch.

Eva wollte Letha das Backen beibringen, die Flechten

brachten den Teig zum Gären, das Brot ging auf und wurde rund.

Einen ganzen Tag lang waren sie dann mit der Handmühle und dem Quellwasser beschäftigt, mit Salz, Kümmel und Anis. Eva hatte unten am See einen großen Holztisch zum Waschen und Backen, und dort stand auch der Backofen.

Letha war so sehr bei der Sache, dass ihre Wangen glühten.

Als der Duft von frisch gebackenem Brot den Männern auf ihrem Bau in die Nase stieg, kamen sie herüber, um zu kosten – Kain im Eilschritt, Adam gemächlicher. Der Augenblick war so selten und schön, dass Eva schnell nach dem Honigtopf lief, und nun gab es süßen Honig zu dem noch ofenwarmen Brot, es war ein Fest.

Später dann zeigte sie Letha, wie man die luftigsten und lockersten Brotstücke in einen Lehmtopf mit dichtem Deckel aufschichtete. Hier wurden sie zu Bier vergoren und nach einiger Zeit würde das Brot abgeschöpft werden und das Getränk mit Honig gesüßt …

Letha erzählte nun ihrerseits, wie sie dort unten in dem Lager Beerenwein herstellten, ein berauschendes Getränk, von dem man so fröhlich wurde.

Eva nickte interessiert, sie kannte eine Stelle, wo kleine, wilde Trauben wuchsen. Vielleicht würde es ihnen ja glücken, dass ein paar Pflanzen hier oben an der Südseite der Wohnstätten angingen.

Jeden Morgen bemerkte Eva von neuem ein Leuchten um das Mädchen. In den Nächten verstehen sie sich gut, die beiden, dachte sie und war stolz auf den Jungen. Wenn sie bei Sonnenaufgang Seth die erste Mahlzeit gab, konnte sie die jungen Leute im See baden sehen, verspielt und ausgelassen wie Kinder. Ihr Lachen schallte zu ihr herauf, und Evas Herz schwoll ihr in der Brust vor Freude – oh, wie sie ihm das gönnte, dem Jungen.

Letha mochte es gern hübsch um sich herum haben, putzte sich heraus und verschönte ihr Heim, viel mehr als es Eva je getan hatte. Sie brachte Kain dazu, an das andere Seeufer zu schwimmen und den blauen Lotus zu pflücken, füllte ihn in Krüge und andere Gefäße und schmückte sich selbst damit.

Und stets war bei ihr geputzt. »Hier ist es immer so sauber, dass ich ganz neidisch werde«, sagte Eva dann und wann und machte das Mädchen ein bisschen unsicher, bis es das Lächeln in den Augen der Schwiegermutter sah.

Beim Waschen, Kämmen und Spinnen der Wolle tauschten sie die Rollen, nun war es Letha, die zeigte und erklärte, und Eva, die lernte. Hierin kannte sich das Mädchen aus, ihr Faden wurde weißer und dünner, als es Evas je war.

Einmal streifte Letha um den Wohnplatz herum und suchte entlang der schmalen Wege nach Disteln, einer niedrig wachsenden, stachligen Sorte. Als sie ihren Strauß beisammen hatte, zupfte sie ihn klein und kochte ihn lange in dem größten Topf, den sie besaß, legte das frisch gesponnene Garn hinein und rührte um.

Nachdem das Wasser abgekühlt war, hatte das Garn eine leuchtend gelbe Farbe angenommen, und Eva staunte über das Ergebnis und bewunderte es.

Die Erntezeit war gekommen und der Getreidespeicher rechtzeitig fertig geworden. Harte Tage folgten, obwohl sie zu viert schufteten. Aber das neue Getreide – Weizen – war doppelt so ergiebig wie das alte. Kain war so stolz, und es war ihm so deutlich anzumerken, dass sie beim Abendessen über ihn lachen mussten.

Sogar Adam freute sich, beruhigt über die reiche Ernte, die mehr als genug Brot für den Winter, das Frühjahr und auch den nächsten Sommer versprach. Er war es, der die neuen Saatkörner feierlich abfüllte.

»Gott hat mir vergeben«, sagte er eines Abends. »Auf den Feldern liegt kein Fluch mehr, wir werden es schaffen.«

Die beiden jungen Leute blickten erstaunt auf. Eva holte tief Luft, zum Teufel auch.

Dann sagte sie sehr bestimmt:

»Es war niemals Gott, der die Felder verflucht hat, es war der Schamane.«

Wie immer, wenn sie die Welt seiner Vorstellungen störte, wurde er unruhig. Nur keine harten Worte diesmal, nur schnell zum Steinaltar unter dem Apfelbaum fliehen.

Warum kann ich den Mund nicht halten?, dachte Eva. Warum muss ich ihm unbedingt die Wahrheit an den Kopf werfen? Das bringt ihn nur auf.

Kapitel 28

Nun kam der Herbstregen und mit ihm Stille und Ruhe. Letha saß am Webstuhl, Eva spann Wolle oder spielte mit Seth. Als der Regen für einen Tag nachließ – eine bleiche Sonne schien vom klaren Himmel, und es war kühl –, stellte sich Besuch bei ihnen ein. Emer kam zum Wohnplatz gewandert, begleitet von Anja auf einem Esel.

Lethas Freude kannte keine Grenzen, nur Eva sah sofort, dass mit der alten Frau etwas nicht stimmte. Sie hielt sich aufrecht, ging mit der Tochter durch Haus und Gelände, bestaunte die Vorräte, die sie angelegt hatten, die Webarbeiten, das gebraute Bier, das gebackene Brot und das Speicherhaus. Aber beim Essen, das Eva in ihrer alten Höhle aufgetragen hatte, rührte Anja nichts an und war sehr blass.

Eva steckte sie in der inneren Kammer sogleich ins Bett, doch Anja konnte nicht einschlafen.

»Ich habe solche Schmerzen«, klagte sie.

Jetzt zeigte sich auch in Lethas Augen die Sorge, und Emer sagte zur Erklärung, Anja sei krank und habe schlimme Leibschmerzen. Sie würde das Essen nicht mehr bei sich behalten. Ob Eva ihr wohl helfen könne?

Erst einmal schickte sie die Männer hinaus, auch Letha, zog die alte Frau aus und wusch sie mit behutsamen Händen. Vorsichtig tastete sie die Magengegend ab. Verdammt, hier fühlte sie eine Geschwulst, hart und groß wie ein Kohlkopf.

»Wie lange spürst du es schon?«

»Seit der Hochzeit, da war es nicht größer als ein Ei. Ich wollte eure Freude nicht stören und habe dich damals nicht gefragt, habe gedacht, es wird schon wieder verschwinden.«

Eva kochte Wasser ab und tropfte vorsichtig etwas Opium hinein. Schon nach dem ersten Löffel kam Ruhe über die Kranke, sie lächelte, drückte dankbar Evas Hand und schlief ein.

Eva ging zu den anderen hinaus. Mit harten, knappen Worten, um nicht in Tränen auszubrechen, sagte sie:

»Ich kann die Schmerzen wohl lindern, aber eine Heilung ist nicht mehr möglich. Das hier führt zum Tod.«

Letha weinte verzweifelt in Kains Armen, Emer stand still wie ein alter Baum, den der Blitz getroffen hat. Evas Augen sahen trostsuchend zu Adam. Er war weiß im Gesicht, nickte düster und ging zu dem Hain, um zu beten.

Eva dachte müde, hier helfen keine Gebete mehr, und dann gab sie dem Weinen nach und ließ den Tränen ihren Lauf.

Sie alle hatten nun etwas Schlaf nötig, und Emer ging mit den jungen Leuten zu deren Wohnstatt, Eva legte sich in die innerste Kammer in Anjas Nähe. Falls die Schmerzen wieder einsetzten, wollte sie zur Stelle sein.

Und die Schmerzen kamen im Morgengrauen. Eva machte wieder einen Opiumtrank fertig und dachte gleichzeitig: Ich muss sie dazu bringen, etwas zu essen, ich werde Saft aus Weißwurzeln pressen. Aber die Schmerzen waren jetzt sehr stark. »Morgens ist es immer am schlimmsten«, sagte Anja – also zuerst das Opium. Wie zuvor schon wirkte es bereits nach einer kleinen Dosis.

Eva stillte Seth und lief dann mit dem Jungen zu Letha hinüber, deren Augen dunkel vor Sorge waren. Als Eva nach einiger Zeit ging, hörte sie das Mädchen mit fester Stimme zu Emer sagen:

»Die Mutter muss hier bleiben, hier hat sie es besser, als sie es jemals unten im Lager gehabt hat.«

Eva hörte die Antwort nicht mehr, dachte nur: Letha hat Recht, so werden wir es machen. Anja soll ihre letzte Zeit auf Erden hier bei uns verbringen.

Anja war jetzt wach, Eva zerrieb Weißwurz, presste den Saft aus und flößte ihn ihr vorsichtig löffelweise ein.

Aber der kräftige Saft kam ihr wieder hoch. Die große Geschwulst ist im Weg, dachte Eva. Was mache ich, wenn sie auch das Opiumwasser nicht mehr bei sich behalten kann?

Nach einer Weile kehrte wieder Farbe in die Wangen der Alten zurück, sie konnte sich aufsetzen und wechselte ein paar Worte mit Letha und ihrem Mann. Eva hörte das Gespräch von der äußeren Kammer aus und dachte: Seltsam, Anja ist es, die hier tröstet.

Als sie zu ihnen hineinging, hatte sie ihre Worte wohl durchdacht:

»Ich möchte, dass du hier bleibst, Anja, wir werden unser Bestes tun, dass es dir bei uns so gut wie möglich geht.«

Anja nickte, ja, das wolle sie gern.

»Danke«, sagte sie nur.

Emer seufzte, er musste zurück zum Lager, die Herde sollte ins Winterquartier gebracht werden. Im Frühjahr dann würde er wiederkommen und seine Frau abholen.

»Bis zum Frühjahr, Anja, dann geht es dir wieder gut.«

»Ja sicher, Emer, wir sehen uns im Frühling wieder.«

Sie weiß es, dachte Eva. Irgendwie weiß sie Bescheid, dass es für sie keinen Frühling mehr geben wird.

Emer und Anja blieben eine Stunde lang für sich. Worte wurden gewechselt, aber waren sie ehrlich? Nein, wahrscheinlich nicht, dachte Eva, und ihr fiel Anjas Bemerkung ein:

Ich war die älteste seiner Frauen, es war nicht so leicht …

Eva hatte Schwierigkeit, sich von Emer zu verabschieden, als er aufbrach, sie fand nicht so recht zu ihrer früheren Vertrautheit zurück. Er kehrt erleichtert zurück, dachte sie. Zurück zu den jüngeren Ehefrauen.

Und Eva senkte den Blick, um den Zorn zu verbergen, der sie erfüllte. Als sie in die Höhle zurückging, begegnete sie Lethas Augen, die ihren Zorn bestätigten. Bitterkeit sprach aus ihnen.

Aber bald schwatzten die Frauen wieder miteinander, Anja war es sogar möglich zuzuhören und sie warf hin und wieder eine Frage dazwischen. Inmitten der Sorge sagte Letha sogar, wie sehr sie sich über ihre Ehe freute, über das neue Leben hier oben, über Kain und die Güte, die er ihr gegenüber zeigte.

»Hier sind die Männer nicht so wie bei uns, Mutter. Er hat viel mehr Verständnis.«

Anja nickte, Eva lachte ein bisschen verlegen und sagte ablenkend:

»Anja, wir müssen dich dazu bringen, ein paar Schlucke zu trinken, sonst trocknest du uns noch aus. Warmes Wasser mit Honig, glaubst du, du schaffst es?«

»Ich will es versuchen«, sagte Anja.

Letha eilte zum Honigkrug, und die Kranke schluckte tatsächlich Tropfen für Tropfen des süßen Saftes hinunter.

Es nahm einige Zeit in Anspruch, aber sie konnte die Flüssigkeit bei sich behalten, und Eva beschloss für später, ein wenig von dem milden Valeriana darunterzumischen, das würde sie beruhigen und ihr etwas Schlaf geben.

Ihre Opiumtropfen hob sie besser für die schweren Zeiten auf.

Nun werde ich also erneut dem Tod begegnen, dachte Eva an diesem Abend. Jetzt wird mich das, was ich immer am meisten gefürchtet habe, einholen, nicht überraschend und nicht so, dass es mir den Verstand rauben wird wie damals, als das Kind starb, sondern erwartet und vorhersehbar. Hier in meiner Wohnstatt wird das Unbekannte eines Tages geschehen. Und doch bin ich nicht bange.

Traurig bin ich, aber nicht bange.

Am nächsten Morgen, als die Kranke nach dem Opiumtrunk bei Anbruch der Dämmerung eingeschlafen war, fragte sie Letha im Flüsterton:

»Hast du Angst, Mädchen?«

»Nein«, flüsterte Letha zurück und schüttelte den Kopf.

»Ich habe immer gewusst, dass der Tod eines Tages kommen wird, er kommt zu uns allen. Ich habe viele sterben sehen.«

Eva war erstaunt, wie klug sie war, und so anders.

Letha flüsterte weiter:

»Aber ich bin traurig, ich wünschte, sie würde noch ein wenig leben und könnte meinen Sohn sehen. Das würde ihr Kraft geben und sie wieder aufrichten.«

»Wie meinst du das?«

»Mutter hat nie einen Sohn bekommen, nur drei Töchter. Deshalb musste sie so viel Verachtung ertragen. Obwohl sie Emers erste Frau war, erfuhr sie nie die Ehre, die ihr zustand, sie war nur das Kindermädchen und musste die anderen Frauen bedienen, jene, die Söhne geboren hatten.«

Letha weinte jetzt hemmungslos, ihre Stimme wurde lauter.

»Ich hatte davon geträumt, mit meinem Sohn zum Lager zu gehen und ihn in Mutters Arme zu legen, wollte sie aufrichten.«

Anja bewegte sich unruhig im Schlaf. Eva nahm das Mädchen in die Arme, tröstete es und teilte seine Enttäuschung, die, als sie Eva bewusster wurde und tiefer in sie eindrang, in Zorn umschlug. Verdammt nochmal, was für eine himmelschreiende Dummheit.

Letha spürte, wie sich die Schwiegermutter in ihren Armen anspannte. Sie blickte auf, begegnete deren Zorn und wurde selbst wütend: Nichts als verdammte Dummheiten. Hier bei Kain und Eva bekommen die Dinge eine andere Bedeutung. Die hier oben auf dem Berg lebten, waren nicht weniger wert, weil sie Töchter zur Welt brachten. Kain zeigte sich einem einzigen Menschen gegenüber ehrerbietig, und das war seine Mutter. Und als Letha mit ihm über den Sohn gesprochen hatte, den sie zur Welt bringen würde, hatte er gelacht und gesagt: »Ich möchte lieber ein Mädchen, so eins wie dich.«

Sie blickte auf das magere Gesicht ihrer Mutter und flüsterte:

»Die Trauer wäre für mich leichter zu ertragen, wenn ich wüsste, dass sie glücklich gewesen ist.«

Wieder nahm Eva das Mädchen in die Arme und flüsterte zurück:

»Wichtig ist nicht das Glück, das weißt du. Wichtig ist, dass man im Leben seine Pflicht erfüllt hat.«

Eva kam es selbst so vor, als erzählte sie nichts Neues, aber die Worte gaben Trost. Das Mädchen nickte und richtete sich auf.

»Mutter braucht nichts zu bereuen«, sagte sie. »Sie hat sich immer Zeit für andere genommen, war voller Fürsorge für jeden im Lager und hatte zur Freude aller immer Lieder und Märchen bereit.«

Eva war in Gedanken weit weg, sie kreisten erstaunt um die Entdeckung, dass das Mädchen so wenig Angst vor dem Tod hatte. Gestern Abend hatte sie selbst noch gedacht: Traurig bin ich, aber diesmal bin ich nicht bange vor dem Tod.

Mit einem Mal fand sie den Zusammenhang: Wo die Trauer ist, hat die Angst keinen Platz. Furcht und Liebe vertragen sich nicht. Das eine schließt das andere aus.

Ist es so?, dachte sie. Ist es so, dass der, der die Liebe in sich trägt, sich nicht zu fürchten braucht, nicht einmal vor dem Tod?

Man bildet sich ein, dass man sich aus Liebe um seine Kinder sorgt, dass die Sorge aus Liebe entspringt. Aber die Wurzel der Sorge liegt vielleicht in der Angst vor dem Verlust. Nicht um den anderen ängstigt man sich, es ist der eigene Schmerz, vor dem man sich fürchtet.

Anja würde sterben, aber mit ihr auch die Liebe, die alle für sie empfanden …?

Eva dachte jetzt an Abel. Sie konnte sich sein Bild nicht mehr ins Gedächtnis rufen – wie er ausgesehen hatte, wie das Gefühl seiner Arme um ihren Hals gewesen war. Nicht einmal Gabriel, den jungen Mann, der vor einem halben Jahr hier über die Felder gekommen war, sah sie klar vor ihrem inneren Auge.

Aber die Liebe für den Jungen, der gestorben war, stieg mit Macht in ihr auf, unversehrt und unverändert.

Diese Erkenntnis war so überwältigend, dass Eva für eine Weile hinausgehen musste, sie ging zu dem Apfelbaum. Die Stirn an den Stamm des großen Baumes gelegt, holte sie das Gespräch noch einmal in ihr Gedächtnis zurück:

»Wo sonst gibt es Hilfe?«

»In einem Leben ohne Furcht und Grenzen.«

»Und was beschützt das Leben?«

»Die Liebe tut es, wenn du die Liebe hast, gibt es nichts, was du fürchten musst.«

Heute hatte sie endlich verstanden. Wenigstens einen Schimmer von dem, was Gabriel gemeint hatte.

Kapitel 29

Etwas später ging sie zu Adam hinaus auf die Felder. Er hatte am Morgen den Jungen zu den Schafen mitgenommen, die Frauen sollten sich ein bisschen schonen, mehr Zeit füreinander haben. Jetzt war Evas Brust schwer, der Junge musste quengelig sein vor Hunger.

In einiger Entfernung sah sie den Mann mit dem Kind auf dem Schoß, umringt von den schweren, trächtigen Mutterschafen. Es war ein schönes Bild, ein Bild voller Frieden. Es erfüllte sie mit Zärtlichkeit.

Sie legte das Kind an die Brust und blickte dabei den Mann an. Alt sieht er aus und einsam, dachte sie. Es nagte an ihrem Gewissen: Gehe ich ihm aus dem Weg? Ja. Sollte ich versuchen, die Gedanken mehr mit ihm zu teilen? Ja. Aber er ist es doch, der sich verschließt, sagte der Zorn. Er und seine verdammte feierliche Haltung.

Und während sie das Kind stillte, merkte sie, wie in ihr der Zorn hochstieg, sie dachte: Wieso werde ich jetzt nur so wütend?

Gleich darauf bekam sie die Antwort. Das Schuldgefühl war in Wut umgeschlagen. Die Schuld bringt den Zorn hervor, der die Liebe auffrisst, dachte sie. So ist es bei mir, so ist es bei ihm. Schuld und Liebe können nicht zusammengehen.

Hätte ich doch nur die Kraft und könnte ihn dazu bringen, dass er es einsieht.

Sie sah zum Himmel, er war grau und düster, und bald würde es anfangen zu regnen.

»Wie geht es ihr?« Furcht war in der Stimme des Mannes.

»Sie wird bald sterben. Wir können sie nicht dazu bringen, das Essen bei sich zu behalten, schon mit dem Wasser ist es schwierig.«

»Hast du Angst, Eva?«

»Nein, ich bin nur traurig.«

Und jetzt fand sie die richtigen Worte, drang zu ihm durch. Sie erzählte von ihrer Erkenntnis, wie sie begriffen hatte, dass Angst und Liebe einander nicht vertragen, erwähnte noch einmal Gabriels Worte von einem Leben ohne Furcht.

»Heute habe ich es verstanden«, sagte sie.

Adam nickte, was sie eben gesagt hatte, half auch ihm. Ich kann ihn erreichen, dachte sie und fuhr fort:

»Ich glaube, mit der Schuld ist es das Gleiche, Adam ...«

Aber da verschloss er sich, nicht hart, nur traurig sagte er:

»Wie sollten wir Gutes tun können, wenn wir uns nicht schuldig fühlten für das Böse?«

Eva legte das Kind an die andere Brust, die Milch blieb langsam aus. Aber der Junge war jetzt kräftig, bald würde sie die Milch der Mutterschafe mit Wasser vermischen und sie ihm geben, außerdem wollte sie ihm beibringen, mit dem Löffel zu essen. Sie hatte es bereits mit gekochtem Möhrenbrei versucht. Er mochte ihn nicht, musste sich aber daran gewöhnen.

Unsicher versuchte sie das Gespräch wieder aufzunehmen:

»Es war gut, dass du dich heute Morgen um Seth gekümmert hast. Und du hast es nicht aus einem Schuldgefühl heraus getan?«

»Nun ja, du hast so müde ausgesehen.«

»Aber du trägst doch an meiner Müdigkeit keine Schuld.«

»Trotzdem ist es für mich so.«

Eva schüttelte den Kopf und sagte dann lachend:

»Du findest das bestimmt auch lustig.«

»Doch, ja«, und jetzt lachte auch er.

Sie gingen gemeinsam zum Wohnplatz, und Eva dachte fest entschlossen: Ich muss versuchen, mehr mit ihm zu reden.

Eine mühselige Woche verging. Anja hatte fast ständig Schmerzen, das Valeriana schenkte ihr keinen Schlaf mehr, und die Augen flehten um Opium.

»Gib es ihr«, bat auch Letha.

»Es verkürzt ihr Leben«, sagte Eva unter großen Zweifeln.

Kain, der das geflüsterte Gespräch mit angehört hatte, äußerte sich nun auch und entschied:

»Man kann es kaum noch Leben nennen, wenn man solche Schmerzen hat, Mutter. Gib ihr das Opium.«

Und so geschah es. Fünfmal am Tag bereitete Eva den magischen Trunk, und seltsamerweise konnte Anja ihn jedes Mal hinunterschlucken und bei sich behalten. Alles andere kam ihr wieder hoch, jetzt sogar das Honigwasser.

Sie magerte unter ihren Augen ab. Abwechselnd wachten sie nun an ihrem Bett, aber es wurden immer weniger Stunden und immer kürzer die Zeit, während der sie bei Bewusstsein war, Worte konnte sie nicht mehr sprechen.

In einer Regennacht, als Eva allein am Bett wachte, überkam sie die Todesangst. Mit einem Gedanken fing es an: Bald wird die alte Frau alles hinter sich lassen, ihre Tochter, das Sonnenlicht, die Zukunft und das Enkelkind – das wundervolle, reiche Leben.

Dann war es nicht weit bis zum nächsten Gedanken: Du wirst auch eines Tages so daliegen, Eva, und alles, was du geliebt und geschaffen hast, verlieren.

Anja atmete kaum merklich, aber die Hand, die Eva hielt, war noch warm, hin und wieder spürte sie einen leichten Druck, als wollte die Kranke sagen: Noch bin ich hier.

Ja, als erbärmlicher, übel riechender Körper, dachte Eva. O Anja, wo sind deine Märchen und Lieder geblieben, all das, was du einmal warst. Fort sind sie, als hätte es sie niemals gegeben.

In diesem Augenblick vergaß Eva die schönen Gedanken über Kummer und Liebe. Nur noch Schrecken war übrig geblieben, nahm schnell von ihr Besitz, schnürte ihr die Kehle zu und trocknete ihren Mund aus. Und wie jedes Mal folgte ihrem Schrecken die Wut: Dieses verfluchte Leben, was ist es wert, wenn es so endete?

Das gilt auch für dich, dachte sie. Und dann schrie sie:

»Ich will nicht!«

Kalter Schweiß tropfte ihr von der Stirn, lief ihr zwischen den Brüsten und an der Innenseite der Beine entlang. Sie musste hinaus, weg.

Adam war von dem Schrei aufgewacht. Er sah sofort, wie es um seine Frau stand, nahm sie in die Arme – wie warm sie war – und strich ihr den Schweiß und die Tränen aus dem Gesicht, zwang sie zu trinken, Mund und Kehle sollten nicht austrocknen.

»Na, na, ist ja gut«, sagte er wie zu einem Kind. Langsam schlug das Herz wieder im gewohnten Takt.

»Ich muss eine Weile nach draußen, bleibst du bei ihr sitzen?«

»Natürlich, ja.«

»Ich gehe zum Apfelbaum, ruf mich, wenn etwas passiert.«

»Ja, aber leg dir eine Decke um.«

»Danke, mein Lieber.«

Draußen war es kalt, sie fror. Sorgsam hüllte sie sich in die Decke, setzte sich mit dem Rücken an den dicken Stamm auf die Erde und suchte nach der Antwort.

»Gabriel«, sagte sie, »hilf mir.«

Aber Gabriel war stumm, er schwieg auch dann noch, als schon das kalte Morgenlicht durch die Baumkrone glitzerte.

Meine Angst ist so groß, dass er sie nicht durchdringen kann, dachte sie. Sie kroch in sich zusammen, zog die Decke enger um sich und sagte zu sich selbst: »Schlaf jetzt, schlaf, es ist die einzige Möglichkeit, all dem hier erst einmal zu entfliehen.«

Als Kain eine Stunde später vorbeikam, schlief sie unruhig. Er hob sie hoch und trug sie zu ihrer Höhle.

»Anja – ich muss zu Anja …«

»Nein, Letha wacht bei ihr.«

»Und Seth?«

»Wir haben ihm Honigwasser gegeben. Adam kümmert sich um ihn.«

Kapitel 30

Eva schlief den ganzen Vormittag. Als sie aufwachte, war nur noch ein Rest von Angst in dem Hohlraum unter ihrem Herzen. Aber aus Sorge, die Angst könnte wiederkommen, mischte sie verstohlen ein paar Valerianablätter in den Morgentee. Es half überraschend schnell. Sie aß etwas Brot, wusch sich und ging zu Letha hinüber.

Anjas Atem ging jetzt kurz und rasselnd, der Körper war angespannt. Manchmal schrie sie auf. Letha hatte sie gewaschen, dennoch war der üble Geruch in dem Raum schwer zu ertragen.

»Ich kann sie nicht mehr dazu bringen, das Opium zu schlucken«, sagte das Mädchen. Adam kam mit Seth herein. Lieber Himmel, sie hatte ihn ganz vergessen, der Junge musste ja zu trinken bekommen. Eva legte ihn an die Brust, er schluckte glucksend und schlief sofort ein. Das Valeriana, dachte Eva, sagte aber nichts.

Kain kümmerte sich um den schlafenden Jungen. Adam musste zu den Tieren hinaus.

Nun schrie Anja wieder – aus Angst oder vor Schmerzen? Was soll ich tun, dachte Eva, wie kann ich ihr nur das Opium einflößen, so wie jetzt darf sie nicht leiden.

Sie lief zum See hinunter, ich brauche ein Schilfrohr, genügend lang und dick, überlegte sie. Sie fand, was sie suchte, und bog es zwischen den warmen Fingern, ohne es zu knicken. Letha hatte schnell begriffen, sie bog den Kiefer der Kranken ein wenig auf, währenddessen sog Eva ihren eigenen Mund mit dem Opiumwasser voll, dann schob sie das Rohr in Anjas Hals und blies das Wasser in die Gurgel.

Es klappte, inmitten all der Anstrengung spürte Eva grimmige Genugtuung. Sie spülte ihren eigenen Mund aus und achtete sorgfältig darauf, beim Spülen nichts zu verschlucken. Das Valeriana wird reichen, dachte sie.

Bald schlief Anja wieder ein, jenseits von Angst und Schmerzen. Nein, dachte Eva, ich weiß nur etwas von ihren Schmerzen, ob sie Angst hat, weiß ich ja gar nicht.

Es wurde für alle ein ruhiger Nachmittag. Letha schlief, um frisch für die Nacht zu sein. Eva hielt Wache, war aber nicht allein. Kain war bei ihr, zwischendurch auch Adam. Seth schlief ebenfalls die meiste Zeit, wachte nur auf, um wieder gestillt zu werden, und schlief sofort wieder ein.

»Merkwürdig«, sagte Adam. »Es ist, als ob er versteht, dass wir keine Zeit für ihn haben.«

Das Valeriana, dachte Eva.

Adam entschied, Eva sollte die ganze Nacht über schlafen, als sie ihr am Abend etwas zu essen brachten. Letha war jetzt wach, noch einmal gelang es ihnen, Anja vor der Nacht durch das Schilfrohr Opium einzuflößen.

Dann schickten sie Eva hinaus, sie sollte mit Adam und dem Kind in der neuen Höhle schlafen. Das junge Paar würde die Wache übernehmen.

Bei Tagesanbruch wurde Eva von Kain geweckt, seine Hand lag auf ihrer Stirn, und im Dunkeln leuchteten seine Augen.

»Mutter, du musst jetzt kommen.«

»Stirbt sie, ist sie…?«

»Ich weiß es nicht. Sie ist wach und klar und fragt nach dir.«

Eva zog das Leibgewand über und lief mit einer Decke um den Schultern hinaus. Es regnete, ein weicher Nieselregen.

Anja empfing sie mit klarem Blick, erkannte sie wieder.

Eva setzte sich an ihr Bett und nahm die müde Hand.

»Liebste Anja«, sagte sie.

Da lächelte Anja, mitten in all dem Schlimmen lächelte sie. Von diesem Lächeln breitete sich das weiße Licht über der Höhle aus, ein Leuchten legte sich um alle und hüllte sie ein. Weißer Frieden, seltsame Freude, stark wie das Licht bei Seths Geburt. Alle in der Höhle spürten es, sahen es.

»Ich gehe jetzt, Eva«, sagte die Kranke. »Ich will nur danken und Lebwohl sagen. Ich gehe in Frieden und weiß, dass für Letha hier bei euch gut gesorgt wird.«

Eva nickte.

»Ich verspreche, auf sie und ihr Kind gut aufzupassen«, sagte sie.

»Ich weiß.«

Dann schlief sie einen Moment ein und wachte mit einem Ruck auf. Ohne Schmerzen, mit klaren Augen.

»Es gibt nichts, wovor du Angst haben musst, Eva. Hier ist es so hell.«

Sie wandte den Blick ab, ihre Augen verdrehten sich, und das Kinn fiel herab.

Der Tod hatte Anja zu sich geholt.

»Mutter«, sagte Kain wenig später über Lethas Kopf hinweg – Letha, die still in seinen Armen weinte, »hast du bemerkt, dass sie genau dasselbe gesagt hat wie Abel in deinem Traum dort auf dem Baum im Paradies?«

»Ja«, nickte Eva. Sie hatte die Worte wiedererkannt.

Sie zogen Anja das gelbe Gewand an, das Letha aus dem neuen Stoff genäht hatte – aus dem Faden, den sie in ihrem jetzigen Zuhause gesponnen, gefärbt und gewebt hatte. Das Mädchen flocht einen Kranz aus Lotus und legte ihn um die Stirn der Toten. Kain hob ein Grab aus, neben dem seines Bruders.

Das weiße Licht blieb bei ihnen, unablässig floss es in den Geist und in die Herzen aller und schenkte Trost und Kraft.

Adam sprach am Grab mit seiner eigenen Stimme, nicht mit der des Schamanen:

»Wir danken dir, dass du zu uns auf den Berg gekommen und hier gestorben bist. Es ist, als hättest du uns geholfen, als habe der Tod seine Macht über uns verloren. Gott allein weiß, wo du jetzt bist, und seine Weisheit ist unergründlich. Es würde nur Verwirrung geben, wenn wir glaubten, wir wüssten es. Die wirkliche Antwort ist außerhalb unseres Vermögens, sie zu sehen und zu verstehen …«

Das ist wahr, dachte Eva. Am Abend nach dem Begräbnis schmiegte sie sich an ihn und sagte:

»Danke für die Worte, sie waren schön und haben Trost gegeben.«

Er wurde froh, sie merkte, wie sein Körper sich entspannte.

»Siehst du«, sagte er, »ich glaube, Gott lenkt alles, damit nichts ohne Sinn geschieht. Es war Seine Absicht, dass sie hier sterben sollte und du und ich etwas Wichtiges daraus lernten.«

»Ja«, nickte Eva und legte ihre Hand in die seine.

»Wovor hast du dich gestern Abend so gefürchtet?«

»Zu sterben und zu verlieren: dich, die Kinder, alles, was wir hier geschaffen haben.«

Er strich ihr über das Haar.

»Ja, es wird einmal schwer werden. Trotzdem sehne ich mich hin und wieder danach.«

»Nach dem Tod?«

»Ja, dort wo Gott möglicherweise ist, glaubst du es nicht? Dort bei dem Licht, von dem sie sprechen.«

»Doch, ich glaube dir. Aber das Licht ist auch hier. Manchmal, wenn wir es in der Freude zu spüren bekommen.«

»Für mich gibt es die fast nie«, sagte er, und jetzt war sie es, die ihm über das Haar strich.

Langsam kehrte der Alltag in ihr Leben zurück. Seth begann eines Tages zu krabbeln und wurde nach und nach abgestillt. Kain und Adam fällten Bäume für einen neuen Stall, Letha und Eva spannen und webten. Das Jahr hatte sich gewendet.

Eines Nachts wachte Eva mit schlimmem Sodbrennen und einer weichen Bewegung im Schoß auf.

Gabriel, dachte sie. Verdammt, ich bekomme wieder ein Kind. Jedes Mal, nachdem wir an diesem Wasserfall waren.

Ein Mädchen wird es werden, dachte sie, mein Mädchen.

Und sie legte beide Hände über ihren Schoß.

Es war so wundervoll und überwältigend, dass sie Adam wecken, es ihm sofort sagen musste, er sollte selber fühlen.

So richtig wollte er ihr nicht glauben, er wehrte sich dagegen.

»Es ist nicht möglich«, sagte er, und beinahe hätte er sie in all ihrer Freude verletzt.

»Warum nicht?«

»Du bist zu alt, Eva«, sagte er, und plötzlich sah sie, dass er sich ängstigte.

Kapitel 31

Zum Sommer hin brachte Eva unter großen Schmerzen ein Mädchen zur Welt. Letha konnte kaum die Nachblutungen stillen, einmal sah es sogar aus, als würde das Leben aus Eva weichen.

Sie selbst war voller Freude, war schon auf dem Weg, weit weg, hin zum Licht.

Aber als Letha ihr das Mädchen an die Brust legte, kehrte sie zurück, blickte in das Gesicht des Mädchens, sah die königliche Nase und dachte: Sie ist ein Abbild von mir.

Und da wusste sie, sie musste jetzt schlafen und wieder gesund werden.

Noch wurde sie auf Erden gebraucht.

Marianne Fredriksson
Hannas Töchter
Roman
Aus dem Schwedischen von Senta Kapoun
Band 14486

Als Anna ihre fast 90jährige Mutter Johanna im Pflegeheim besucht, ist diese nicht mehr ansprechbar. Anna ist zugleich traurig und wütend. So viele Fragen möchte sie noch stellen, so vieles möchte sie noch wissen über das Leben ihrer Mutter Johanna und ihrer Großmutter Hanna. Wie ist es gewesen vor fast hundert Jahren auf dem Land, als Hanna mit ihrem unehelichen Sohn Ragnar den Müller Broman heiratete? Wieso konnte sie sich später nie an das Leben in der Großstadt Göteborg gewöhnen? Wie hat sich ihre Mutter gefühlt, als der Vater starb, und warum hat sie niemals rebelliert gegen ihr tristes Hausfrauendasein?

Jetzt ist es zu spät, all diese Fragen zu stellen. Anna – Tochter und Enkelin – begibt sich allein auf die Reise durch das Leben ihrer Mutter und Großmutter und findet mit Hilfe ihrer Aufzeichnungen Zugang zum Leben ihrer Vorfahren und vor allem zu sich selbst. Marianne Fredriksson hat ein spannendes Buch über die Liebe geschrieben, in dem sie die drei einprägsamen Lebenslinien von Anna, Hanna und Johanna durch hundert Jahre schwedische Geschichte nachzeichnet.

Fischer Taschenbuch Verlag

fi 14486 / 1